光文社文庫

あの頃の誰か

東野圭吾

KOBUNSHA

目次

あの頃の誰か

シャレードがいっぱい

1

二十五メートルをクロールで八往復ほどしたら、さすがに動きが悪くなってきた。スリム体形が自慢だが、プールから上がる時には体重がいつもの三倍ぐらいはありそうに感じた。帽子を取りながらプールサイドの椅子に腰を下ろす。床には遠赤外線採暖設備が完備されているので、十二月だというのに少しも身体が冷えない。

半袖のシャツを着た若い男性スタッフがにこやかに近寄ってきた。

「お疲れ様です。何かお飲み物をお持ちしましょうか」

「ありがとう。今は結構よ」津田弥生《つだやよい》は笑顔で断った。入会直後、ここでの飲み物が無料だと知った時には、頼まなきゃ損だとばかりにさほど飲みたくもないものも注文したものだが、今ではそれがあまりスマートでなかったとわかる。

身体を拭き、壁の時計を見た。午後六時を十八分も過ぎている。

ひどい遅刻。ちょっといい気になってるみたいね――津田弥生は口をへの字に曲げ、タオルでがしがしと髪を拭いた。

彼女が待っているのは、恋人の北沢孝典《きたざわたかのり》だ。恋人とはいっても、結婚の約束などはしていない。何しろ、まだ孝典のことをよく知らないのだ。知っているのは、かつてプロゴルファーを目指していて、今はこのスポーツクラブ内にあるゴルフ・クリニックで働いているということぐらいだった。

じつは弥生がこの高級クラブの会員になれたのも、彼の口ききがあったからだ。そしてデートの時にはここのプールサイドで待ち合わせというのが、いつものパターンだった。

はっきりいって弥生は時間にルーズだ。男との待ち合わせで、時間通りに行くことなど殆どない。全くない、といっても過言ではない。それで怒るような男なら、こっちから願い下げだ。メッシー、アッシー、ミツグ君、男なんていくらでもいる。

ところが今日は孝典が遅刻だ。こんなことは今までに一度もなかった。

「だから迎えに来てくれればいいじゃない。……えっ、フェラーリを修理に？　……やだ、そんな安っぽいクルマで来ないでよ。誰に見られるかわからないでしょ」

横から大きな声が聞こえてきた。見ると、派手な水着に身を包んだ生意気そうな女が、長方形の箱のようなものを持っている。巷で噂の携帯電話だ。

「……ああ、あのビーエムか。あれなら、まあいいかな。ところで店は予約してあるんでしょうね。……またイタ飯かあ。フレンチにしてよ。……そんなこと知らない。何とかしなさいよ。ああ、そうだ。食事の前にシャネルに寄るから。……そう、この前オーダーしたのを取りに行くの。じゃあ、よろしくね」

電話を終えた女は、視線に気づいたのか、弥生のほうをちらりと見て、意味ありげな薄笑いを浮かべた。羨ましいでしょ、という表情だ。

ふん、とばかりに弥生は横を向く。何だ、そんなの。電話なんか持ち歩いたって面倒臭いだけだ。そんなものがなくたって、男のほうが何とかして連絡してくるから自分は困らないんだ。心の中で精一杯強がってみるが、ちょっと羨ましがっていることは否定できない。いいなあ、あれ。誰かプレゼントしてくれないかな、などと考えている。あんなのがあれば、今だってすぐ孝典に連絡が取れる。

六時半になると弥生は立ち上がった。デートの約束に三十分も待たされたことなんてない。これ以上待つことはプライドが許さなかった。

シャワーを浴び、着替えてからもう一度プールサイドを見たが、孝典の姿はなかった。

弥生はエレベータに乗ると、ビルの最上階まで上がった。ゴルフ・クリニックはここにある。孝典には会わず、誰かにメモを預けて帰るつもりだった。メモには、『時計を首からぶらさげてれば？』とある。

ところが受付カウンターにいた女性の返答は、弥生の予想外のものだった。

「今日、北沢さんはまだお見えになってないんです。お休みらしいんですけど、何の連絡もなくて」

「休み？」弥生は首を捻った。そんな話は無論聞いていない。

受付嬢に礼をいってから公衆電話で北沢の部屋にかけてみたが、呼出し音が聞こえてくるだけだった。弥生は胸騒ぎを感じた。外出ならば、彼は必ず留守番電話にしていくはずだ。どこかで事故にでも遭ったのか。

スポーツクラブを出ると広尾にある孝典のマンションに向かった。地上三十階建ての高層マンションで、一階にはホテル顔負けのロビーがある。彼の部屋には何度か行ったことがあり、合鍵も預かっていた。

嫌な予感がしていたとはいえ、じつはさほど心配しているわけでもなかった。どうせ何か急用ができて仕事を休まざるをえなくなり、デートのこともうっかり忘れたというだけのことだろうと思った。だから部屋に行くのは、様子を見に行くというより、置き手紙をするのが目的だった。もちろん別れ話を仄《ほの》めかす内容の手紙だ。それは単なる牽制ではなく、本気で考えていることだった。今日の遅刻が理由ではない。今まで迷っていたことを、この機会に実行に移そうと思ったのだ。どうもあの相手とは合わない。あまりお金も持ってなさそうだし、そろそろ見切りをつける頃かなと考えていた。結婚なんて論外だ。結婚するなら医者かパイロット、サラリーマンなら証券マンか広告代理店だ。実家の母は公務員が希望らしいが、この御時世にありえない。市役所で二十年以上も勤めたおじさんより、この春に就職した弟のボーナスのほうがはるかに上なのだ。ゴルフをただで教えてもらえるというメリットに目がくらんで付き合い始めたが、どうせなら今度は本物のプロゴルファーにしよう。そのためには、きっぱりと別れを宣言する手紙を書いたほうがいいかもしれない。ついでに合鍵も置いてこよう。

だが彼女のこの目論見は外れた。なぜならマンションのドアの鍵は外れていて、中に孝典がいたからだ。

ただし死体で——。

カーペットのほぼ中央で、目を見開いたまま倒れている孝典を見て、弥生は悲鳴を出すよりも先にトイレに駆けこんでいた。

2

マンションの一階にある管理事務所で事情聴取が行われることになった。小さめの応接セットが備えられており、弥生はテーブルを挟んで刑事と向き合った。部屋の隅には、どうやら管理人の私物と思われるゴルフセットが置かれている。弥生は道具にさほど詳しいわけではないが、なかなか高価なものだということはわかった。昨今は猫も杓子もゴルフをする。ゴルフ会員権が一億を越えるなんて話はざらだ。

鼻の下に髭をたくわえた森本《もりもと》という警部補は、弥生が死体を発見するまでの経過について、何度も同じことを訊いた。少しでも前と表現が違ったりすると、しつこく問いつめてくる。もしかしたら自分が疑われているのかなとさえ思った。

「では次にお二人の御関係について、もう少し詳しく話していただけますか。知り合ったのは、どういうきっかけからですか」

「きっかけってほどのことはありません。あたしが通訳の仕事でよく呼ばれる家に、彼が出入りしていたんです」

弥生の本業は英語とフランス語の通訳だ。顧客は主に企業だが、ごくまれに個人客もいた。レジャー産業を手がける中瀬興産《なかせこうさん》社長の中瀬公次郎《こうじろう》もその一人だ。以前会社に呼ばれた時の仕事ぶりが気に入られて、それ以来個人的にも使ってもらえるようになった。公次郎は欧米での取引相手を家に招くことが多いため、通訳が必要らしい。

孝典が中瀬家に出入りしていたのは、彼の死んだ父親が公次郎の友人だったという関係からだ。また公次郎は昔から孝典のゴルファーとしての才能を高く評価しており、彼がプロゴルファーとして成功できるようスポンサー役を引き受けていた時期もあったらしい。労働は一切せず、朝から晩までゴルフの練習だけをしていればよかったというのだから、これ以上の環境はない。だがトーナメントプロへの道は険しく、結局公次郎も孝典自身も諦めることになった。以後は、中瀬グループの一つである、先程まで弥生がいたスポーツクラブで働くようになったというわけだ。

弥生が孝典に会ったのは今年の夏だが、その頃すでに彼の興味は、いかにしてゴルフ・ショップを開くかということに変わっていた。もちろんそんな資金はないはずだから、公次郎に援助を頼むつもりだったのだろう。

「北沢さんが殺されたことについて、何か心当たりはありませんか」

一通りの話を聞いた後、森本が尋ねてきた。弥生としては首を振るしかない。

「お互いの私生活については、干渉し合わないようにしていましたから」

「すると結婚の話なんかも出なかったわけですか」

「ええ、全然」

別れる気でいたことは話さなかった。その理由について訊かれると面倒臭い。だが何となくそういう気配を察したのか、森本は軽蔑するような目を向けてきた。近頃の若い女はみんなこうだ。男を財布としか思っていない。気紛れでゴルファーくずれと付き合ってみたが、大して金を持っていなさそうなので見切りをつけた。どうせそんなところだろう――なんてことを考えていそうな顔だ。その通りだよ、悪かったわね――睨み返すことで応じてやった。

「ところで」森本は気を取り直すようにいった。「ごらんになったと思うのですが、かなり部屋の中が荒らされていました。ということは、犯人は何かを物色した可能性が高い。一体何を探していたんでしょうな」

「さあ」弥生は首を捻った。死体が気味悪くて、すぐに部屋を出てしまったからよく見なかったが、たしかにかなり荒らされていた。本棚の本は全部外に出され、棚の引き出しはぶちまけられていたようだ。

「思いつきませんか」

「ええ、さっぱり。強盗が預金通帳か何かを探したとは考えられないんですか」

森本はかぶりをふった。

「通帳や現金は盗まれていません。それにこれは単なる強盗ではありません。お気づきになったかどうかはわかりませんが、北沢さんには外傷がありませんでした。強盗なら、ふつうは凶器を使うものです」

「あ、そういえば……」

孝典が倒れていたそばにはコーヒーカップが転がっていて、コーヒーがこぼれていた。

「そうか、毒殺なんだっ」

「まだ詳しいことは不明ですがね」森本は人差し指を唇に当てた。迂闊《うかつ》に大声で話すなということらしい。「現状では、顔見知りの犯行の可能性が高い」

弥生は黙り込んだ。あの男、誰かから恨まれるような人間だったのか。

「もう一度お尋ねしますが、犯人の心当たりはありませんか」

「全く、ありません」きっぱりと断言した。

「結構」刑事はひとつ頷くと、ポケットの中から一枚の写真を取り出した。インスタントカメラで撮ったもののようだ。「これは死体のそばのカーペットを写したものです。被害者が死ぬ直前、近くにあったマジックで書いたようです。何と読めますか」

弥生は写真を手にとった。薄紫色のカーペットに黒マジックで書かれた文字は、妙に生々しかった。文字は少し横に平たいが、アルファベットのAに見えた。

「そう、私にもAと読めます」森本は頷いた。「そこでお伺いしたいのですが、北沢さんの周りにAに関係した人物、あるいは物品などはありませんでしたか」

「A……」

考えてみたが、思いつかなかった。気が動転しているせいもあるが、孝典については知っていることのほうが少ない。仕方なく、そう答えた。

「そうですか」刑事はさほど失望した様子もなく写真をしまった。「では何か思い出したら、こちらに連絡をください」そういって名刺を出してきた。

刑事から解放され、弥生が孝典のマンションを出たのが九時過ぎだ。気分直しに遊びに行く元気もなく、中野にある自分のマンションに帰った。死体を思い出すと食欲も湧かない。さっとシャワーを浴び、留守番電話をセットすると、早々にベッドにもぐりこんだ。何もかもが、とても現実のこととは思えなかった。

瞼を閉じると、改めて恐怖が蘇ってきた。

3

翌日は午後から仕事があった。某学会の国際会議が都内のホテルであるのだ。結局昨夜は殆ど眠っていないため、欠伸をかみ殺しながらの同時通訳となった。

仕事を終え、一階のラウンジでコーヒーを飲んでいると、見知らぬ男が目の前に立った。

「すみません、今何時ですか。時計が止まっちゃって」

年齢は三十ぐらいだろうか。長身で、やたらよく日に焼けた男だった。着ているスーツはアルマーニのようだ。時計は見えない。

弥生は自分の腕時計をちらりと見て、「五時二十三分です」といった。

「そうですか。いやあ、広いホテルだと時計も見つからなくて」男は愛想笑いをした後、彼女の顔を見て首を傾げた。「気のせいかな。どこかでお会いしませんでしたか」

弥生は顔をゆっくりと左右にふった。「その手はだめよ」

男は鼻の上に皺を寄せた。「下心が見えましたか」

「お友達が多すぎて、誰か死ぬまで空きがないの」

ある映画のヒロインを真似ていってみたのだが、すると男はいった。「それなら今は空きがあるはずだ。昨夜、一人死んだからね」

弥生は男の顔を改めて見た。「あなた、誰なの？」

男は名刺をテーブルに置いた。尾藤《びとう》茂久《しげひさ》とある。肩書きは何もない。住所は南青山。

「北沢とは大学時代の友人でね。奴の死について調べるため、こうして君を待っていた」

「よくここがわかったわね」

「君の通訳仲間を当たった。学会での仕事が多いらしいね。大したものだ」

「あたしの部屋の住所は聞かなかったの」

「聞いたけど、行くわけにはいかない。どうせ今日あたりは、刑事が張り込みをしているだろうからね」

「張り込み？」弥生は眉根を寄せた。「あたしが疑われてるっていうの？」

「声が大きいよ。隣に座ってもいいかな」

「身体に触れなければね」

尾藤は眉を動かし、咳払いをしてから腰を下ろした。

「疑われているのは君だけじゃない。僕のところにも刑事が来て、根掘り葉掘り訊いていったよ。まるで容疑者扱いだった。手掛かりが殆どなくて、警察も焦ってるんだろうな。ヒントといえば、犯人が何かを探したらしいということぐらいか。あとそれからAの文字」

「それについてはあたしも訊かれたけど、どちらにも心当たりはないのよね」

「北沢が大切にしていたものって何だろう？　もちろん君を除いて、だけど」

弥生は力なく苦笑した。

「あなたも刑事と一緒で、あたしと彼との仲を誤解してる。あたしたちはそんなに深い仲じゃなかった。所謂大人の付き合いってやつ。それに――」肩をすくめた。「じつをいうと、もう別れようと思ってた」

「どうして？　じつはそんなに金持ちじゃなかったから？」

核心をつかれ、思わず目を見開いた。尾藤は口元を曲げた。「当たりみたいだな」

「でもそれだけじゃない。性格的な理由もある。この人とは合わないなと感じ始めてたの。彼はあたしが期待したほど大人ではなかったし、そのくせ悪擦れしたところがあった。外見は悪くないし、ゴルフを教えてもらえてラッキーだと思ってたけど、最近は得体が知れないという気持ちが強かった。本当よ」ややむきになっていった。「金目当てで付き合っていただけだとは思われたくない。

「具体的に何かあったのかい」

「あったというほどでもない。ただ彼は自分の店を持ちたがっていて、このところその資金繰りの話ばかりしていた。そういう話って、あまり女性に聞かせるものじゃないと思わない？」

「まあ、そうかもしれない」

そんな話をしているうちに、不意に思い出したことがあった。

「そういえば前に会った時、何だかおかしなことをいってたな」

「おかしなこと？」

「資金のメドがつきそうなニュアンスだったの」

やはりプールサイドで待ち合わせしたのだが、その時孝典がいったのだ。

「そろそろ俺にも運が巡ってきそうな気がする。何としてでもこの手で成功を摑まないとな」さらに彼は右手を広げると、「この手は奇跡を生みだす神通力を持った手さ。こういう手のことを何というか知ってるかい」と訊いた。

「魔法使いの手？」

「魔法使いね。悪くない。だけどほかにも言い方があるだろ。頭と洒落を働かせなよ」

そういうと孝典はプールに飛びこんだ。その後、彼が話の続きをすることはなかった。

この話を聞いた尾藤は、首を捻った。「魔法使いの別の言い方ね。全然わからないな。なぞなぞ遊びは苦手だ。ただ、彼が何かチャンスを摑みかけていたのは事実のようだな」

「あなたには何か心当たりはないの？」

「残念ながら、何もないから君に会いに来た。しかしおかげでヒントを得られたよ。どうもありがとう」彼は腰を上げた。

「何かわかったら連絡してね」

弥生がいうと、尾藤はテーブルの上の伝票を持ってウインクした。

4

孝典が殺された三日後に葬儀が行われた。孝典には家族がいないので、親戚の人間が段取りを整えたようだ。

弥生も出席した。喪服の上からミンクのコートを羽織っているとはいえ、寺の境内で焼香の順番を待っていると、さすがに足元から冷えてくる。

震えながら周りを見ると、少し前に見覚えのある人間が並んでいるのに気づいた。中瀬公次郎の長男で、中瀬興産専務でもある雅之《まさゆき》だ。まだ三十半ばというから、典型的な親の七光りだ。三流大学を留年を繰り返しながらようやく卒業した、という噂を弥生も聞いたことがある。専務とは名ばかりで、ゴルフばかりしているという話だった。

彼の横には二十代半ばと思える女性がいた。女性のほうは弥生も知らなかった。雅之の妹に弘恵《ひろえ》という女性がいるが、弘恵なら会ったことがある。

焼香を終えると、少し寒いが出棺まで待った。霊柩車が去っていくのを見送る時、あの中に孝典の死体があると思うと不思議な感じがした。

寺を出たところで後ろから、「津田さんですね」と呼びとめられた。振り返ると、頭の薄い年老いた小男が会釈した。どこかで見たことがある。

「あなたは？」

「お忘れですか。中瀬公次郎の秘書で、亀田《かめだ》という者です」小男は名刺を差し出した。そこには今彼がいった通りの肩書きが印刷されていた。

ああ、と彼女は頷いた。以前に中瀬邸で会ったことがある。

「じつは折り入ってお話があるのです。少し時間をいただけますか」

「話？」

「重大な話です。北沢さんに関することで」小男は下から覗きこんできた。

何だろう、と弥生は身構えた。正直なところ、孝典のことは今日の葬儀を境に、きっぱり忘れようと考えていたのだ。厄介なことに巻き込まれるのも嫌だ。

「あなたにとっても、聞いて損のない話です」彼女の躊躇いを感じ取ったらしく、亀田は低い声でいった。「時間は取らせません」

聞いて損はないといわれると気になる。得するチャンスを逃がすのは大嫌いだ。

「じゃあ、少しだけ」警戒しながらも頷いた。

近くの喫茶店に入ると、亀田は一番奥のテーブルを選んだ。話を人に聞かれたくないからだろう。

「このたびは災難なことでしたね。心より、お悔やみ申し上げます」

亀田は形式的に挨拶してきた。

「そういうのは結構です。あたしとしても、早く忘れようと思っているんです」

弥生は首を振った。

亀田はため息をつき、頷いた。

「それが一番でしょうな。最近の若い女性は切り替えが早いそうですから、下手な同情は不要なんでしょうなあ。しかし事件はまだ解決していません。こちらとしては、すべてのカタがつくまでは、あなたに忘れてもらっては困るのです」

「どういうことですか」

「本題に入りましょう。まず中瀬社長のことですが、現在入院中なのです」

「どこかお悪いんですか」

「ええ、ここが悪いんです」亀田は自分の禿げ頭を指差した。「これはジョークではありません。脳腫瘍です。しかも末期に入っています」

「じゃあ……」

「ええ」亀田は暗い顔で頷いた。「もう長くはないでしょうな。すでに十日ほど前から昏睡状態が続いています。意識が戻らず、医師も全く手を出せない状況です。ごく近い将来、中瀬興産社長の訃報が新聞で伝えられることでしょう」

「お気の毒に。まだお若いんでしょう？」

「六十八です。平均寿命からすると、若死の部類でしょうな。それはともかく――」亀田はミルクティーを一口飲んでから続けた。「まだ元気な頃、社長は私にある指示を出されました。それは遺言状に関することです。自分にもしものことがあった場合には、自宅の書斎の隠し戸棚に入れてある遺言状を弁護士に渡し、その遺言に沿って財産を処理してほしいという指示でした」

弥生は頷き、思わず唾を飲みこんだ。中瀬興産社長の全財産といえば、どれほどの額なのだろう。そういえばいつか孝典が話していたことがある。銀座のど真ん中に、ちょうどロールスロイス一台分を止められる程度の土地があったので、中瀬社長が専用駐車場として一億円で購入した。ところが自分が使っていない時に無断で車を止められていると知り、警備員を雇うことにした。その警備員が車で通勤するために近くの駐車場を借りることにしたが、その駐車料金も当然社長が払っているという話だった。聞いていて、馬鹿馬鹿しくなる。世の中には金の余っている人がいるものだ。そんな人間の全財産を相続──自分には関係がないとはいえ、想像するだけで緊張した。

「それで社長が昏睡状態に陥った日、私は書斎に入って戸棚を開けてみました。もちろん社長はまだ亡くなってはおられないのですが、助かる見込みがないと分かっている以上、準備は早めにやっておいたほうがいいと思ったのです」

忠実な秘書は、主人の死期に面しても冷静に行動するというわけだ。

ところが、と亀田は一層声を落とした。「その隠し戸棚の中に、遺言状は入っていなかったのです」

「へえ、どうしてですか」

「どうしてだと思いますか？」逆に訊いてきた。

弥生は少し考えてから、「誰かが盗んだとか」と呟いた。

「私もそう思います」亀田は大きく頷いた。「あの社長が、そんな重大な件で勘違いをしているとは思えません。さてそうなると、誰が盗んだかが問題になります。状況から考えて、犯人は御家族か、あるいは中瀬家に出入りしている人間の中にいるはずです。そんな時、北沢孝典さんが殺された。私でなくても、何か関係があるのではと考えるんじゃないでしょうか」

「彼が盗んだというんですか」

「その可能性もあるということです。少なくとも、チャンスはありました。そこであなたにお訊きしたいのです。北沢さんがそういう書類のようなものを持っているのを、御覧になったことはありませんか」

弥生は首を振った。

「そんなもの見たことありません。それに、なぜ彼が中瀬さんの遺言状を盗む必要があるんですか。彼は家族じゃないし、親戚でもない。どう転んでも相続に関係するなんてことはないと思うんですけど」

「たしかにあの方《かた》は相続には無関係です。しかし誰かに頼まれた可能性はあります」

「遺言状を盗んでくれって？　そんなこと、誰が頼むんですか」

「それはまあ、ふだん中瀬家には出入りしていないので自分で遺言状を盗み出すのは無理だが、その内容には極めて興味があるという人間でしょうな。つまりは親戚連中ということになる。彼等は本来なら相続権はないが、遺言状の内容によっては、おこぼれに与れるかもしれませんからな」

「でも盗んでしまったら、意味ないと思うんですけど」

「いや、それがそうでもないんです。このあたりを説明するのは、非常に面倒なのですが」

亀田はしどろもどろになり、汗の出ていない額にハンカチをあてながら弥生を見た。彼女はその目を真正面から見返す。曖昧なままでは、何の協力もしないつもりだ。彼女の意図を読みとったのか、亀田はため息をついた。「仕方がない、御説明しましょう。ただし、口外は禁物ですよ」

「あたし、口が固いことで有名なんです。でもその前に――」

弥生はシナモンティーのおかわりを注文した。

亀田が説明を始めた。

「社長の奥さんは亡くなっているので、普通にいけば二人のお子さん、雅之さんと弘恵さんに全財産が譲られることになります。しかし社長は、自分の富は自分一人で築きあげたものではないということで、親戚の方々《かたがた》にも何がしかのものを残されるおつもりだったのです。ですから遺言状にも、そのように書いてあったはずです」

「へえー、心の広い方だったんですね」

そんな親戚があたしもほしい、と弥生は心の底から思った。

「それもありますが、じつは二人のお子さんが、あまり露骨に遺産のことを当てにしておられるようなので、社長としては嫌気がさしたのだと思います。それで全部与えるようなことはせず、少し分配することをお考えになったのでしょう」

その気持ちは弥生にも何となくわかった。遺産を期待した子供から死を待たれるというのは、親として虚しいものだろう。

「それで親戚連中も内心喜んでおったわけですが、ふた月ほど前、思いもかけないことが起こったのです」

「何ですか？」

「突然社長の隠し子だと名乗る女性が現れたのです。畠山清美《はたけやまきよみ》という人です。先程の葬儀にも出ておられました。雅之さんと一緒でしたが」

「ああ、そういえば」弥生は頷いた。「若くて奇麗な女性でしたね」

「ええ、母親譲りの美貌です。そしてそれが元凶でもあったわけですが」

亀田は咳払いをした後、次のような話をした。

中瀬公次郎は二十数年前、屋敷で働いていた家政婦の一人畠山芳江《よしえ》と関係を持った。

浮気性というわけではなかったから、おそらく本気で好きになったのだろう。

それを知った公次郎の妻は逆上し、あの女を家に置くのならば自分が出ていくといって泣きわめいた。公次郎は一時本気で離婚も考えたようだが、世間への体面もあり、結局芳江には慰謝料を払って郷里に帰す道を選んだ。

だが数年後に妻が亡くなると、彼は部下に命じて芳江を探させた。それだけ彼女のことを思い続けていたわけだが、彼が芳江に会いたかったのには、もう一つ理由があった。彼女が郷里に帰ってから、子供を産んだらしいという噂が耳に入ってきたのだ。

部下が芳江を見つけると、公次郎は早速会いに行った。彼女はやはり家政婦をしていて、五歳ぐらいの女の子と二人で暮らしていた。公次郎は彼女に詫び、是非自分のところに戻ってきてほしいと頼んだ。

しかし芳江は彼の申し出を拒否した。もう昔のことは思い出したくないし、自分には近々結婚するつもりの相手がいるというのだ。

彼女の幸福を願う公次郎としては、それ以上干渉することはできなかった。何か困ったことがあれば力になるという言葉を残して、彼女のもとを去った。それ以来彼は畠山母子とは会っていないが、亀田によれば、いつも気にしている様子だったという。

その芳江の娘清美が、二ヵ月前突然現れたのである。

清美の話では、芳江が病死する前に彼女の父親のことを話してくれたらしい。芳江は結局結婚しておらず、女手ひとつで清美を育てたのだった。

公次郎は感激し、早速彼女を屋敷内に住まわせることにした。ただし居候は嫌だと清美がいうので、例のスポーツクラブで働けるように取り計らった。

「そこまでは、まあいいのです。問題はここからです」亀田はコップの水で口の中を潤した。「社長は遺言状の書き直しも検討されたのです」

「ああ、なるほどねえ」

新たに自分の子供が増えたのだから、当然相続方法も変わるわけだ。金持ちはいろいろと大変だ。我が家にはそういう悩みがないだろうな、と弥生は両親の顔を思い浮かべた。

「で、これがちょっと複雑なのです。先程もいいましたように、社長は以前までは親戚の方々にも何がしかのものを残すおつもりでした。ところが清美さんが現れたことで、気が変わられたようなのです。具体的にいいますと、財産を譲る相手はお子さんのみ。つまり雅之さん、弘恵さんに清美さんを加えた三人に等分に譲るというふうに、遺言状を書き直されたらしいのです」

「そうなると、遺産をあてにしていた人たちは、がっかりでしょうね」

「まさにそうなのです」亀田は弱りきったという顔をした。「親戚の方の中には、清美さんが本当に社長の子供かどうかはわからないといいだす人もいます。なかなか見苦しいものですよ。ただ社長も清美さんの話を鵜のみにしたわけではなく、それ相当の調査は行っておられます。その結果どうやら本当のお子さんに間違いないようなのですが、厄介なのは社長がその結果を知る前に倒れられたということです」

「なぜそれが厄介なのかしら。もう遺言状は書き直してあったんでしょう?」

「ええ。ただ、まだはっきりしないということで、社長は書き直す前のものも一緒に保管されていたのです。清美さんが実の子かどうか判明した時点で、どちらか一方を破棄するつもりだったのでしょう。まあ二通あったとしても、遺言状には日付が入っているはずですから、一番最近のものを採用するということなら、古いほうを破棄する必要はないのですが」

「遺言状は二通とも盗まれたのですか」

「いえ、古いほうの遺言状は残っておりました。つまりこのまま社長が亡くなれば、その遺言状が採用されるということになります」

「なーるほど」弥生は大きく頷いた。どうやら構図が見えてきた。「その新しい遺言状が公表されるとまずい人間が、孝典さん……北沢さんに遺言状を盗ませたというわけですね」

新しい遺言状があるとまずくて、古い遺言状があれば都合の良い人間となれば、遺産相続のおこぼれに与れる親戚たちということになる。

「まだ北沢さんが盗み出したと決まったわけではありませんが、その可能性はあると思うわけです。で、そうなりますと」亀田は周囲を確認してから続けた。「北沢さんを殺した犯人の目的もまた遺言状だった、と考えるのが妥当ではないでしょうか」

悪くない推理だと弥生も思った。部屋が荒らされていたのは、遺言状を見つけるためだったのだ。

「亀田さんは、このことを警察に？」

「秘密にしてくれることを条件に話してあります。だから昨日あたりから、彼等のマークは中瀬家の親戚に集中しているはずですよ」

「で、あたしは何をすればいいんですか」

「ですから遺言状です。それを見つけるのに協力していただきたい」

「でもそれはもう犯人に奪われたんじゃ……」

「いや、犯人が手に入れたかどうかはわかりません。警察から聞いたところでは、北沢さんの部屋はかなり荒らされていたそうじゃないですか。それだけひっかき回したということは、簡単に見つかるところにはなかったということです。つまりまだ見つかっていない可能性だって充分にある」

弥生は額に手をやった。「話はわかりましたけど……」

「お願いです、津田さん。北沢さんの言動をよく思い出して、遺言状を見つけだしてください。もちろん無事見つかった時には、それ相当の謝礼を中瀬家より出していただけるよう働きかけます」

「えー、全然自信がないんですけど」

「弱気なことをいわないでください。我々としては、あなただけが頼りなのです。さらにいうならば、犯人にとってもあなたは重要な人物のはずだ」

「犯人にとっても？」思わず身体を固くした。

「当然そうなるでしょう。遺言状をまだ手に入れていなければ、犯人もあなたに目を付けるはずです。脅かすわけではありませんが、充分気をつけてください」

脅かすわけではないといいながら、亀田は妙に声を低くしていった。弥生は少し寒気を覚え、意味もなく周りを見回した。

「とにかくそういうことですから、何か思い出すことがあれば、すぐに私に連絡してください。いいですね」

「何も思い出せなかったら？」

「思い出すのです。それがお互いのためです」

亀田は顔の前で、ぎゅっと拳を握ってみせた。

5

亀田と別れてマンションに帰る途中も、弥生は孝典のことを考えていた。彼が何か大切なものを隠している素振りを見せたことがあっただろうか。残念ながら弥生には何も思いつくことがない。唯一の手掛かりらしきものといえば、例の『神通力を持った手』だが、それにしても何のことやらさっぱりわからなかった。

頭を捻りながらマンションの前まで帰ってくると、尾藤が花壇の端に腰を下ろして新聞を読んでいた。

「葬式はとっくに終わっているはずなのに、どこで寄り道してたんだ？　この寒空の下で、一時間以上待ったんだぜ」新聞を畳みながら尾藤はこぼした。

「あなたが勝手に待ってただけでしょ。それにあたしがどこに寄ってこようが、あなたには関係ないと思うんだけど」

「たしかにそうだが、興味はあるね。若い女性が喪服姿で、一体どこに行ってたのかと」

「余計なお世話。あたしはあなたの用件に関心があるんだけど。一時間以上も待っていたぐらいだから、事件について何か収穫があったってことじゃないの？」

「もちろんそのとおり、といいたいところだが、残念ながら収穫はない。北沢の周辺を洗ってみたけど、奴が店を開くための資金を得たという話はどこからも出てこない。大金が絡んでくる話としては、中瀬公次郎が重病で遺産相続の準備が始まっているらしいということぐらいだ。しかし親戚でもない北沢が、そんなものに関係しているはずがないしなあ」

尾藤の話に、弥生はつい目を伏せた。亀田から、遺言状のことは口外せぬようといわれている。

「魔法使いの別の表現についても考えてみたよ。だけど、どうもうまい答えが見当たらない。それでお手上げになって、君に会いに来たというわけだ。何か新しい情報でもないかと思ってね」

「あたしのほうだって、進展なんてないんだけど」

「やっぱりそうか。つまりこの寒さの中で待っていた甲斐がなかったということだ」

「情けない顔しないでよ。かわいそうだから、お茶ぐらい御馳走してあげる」

「本当かい？　それは感激だな」尾藤は一転、明るい表情になった。

「ただし、おかしなことをしたら承知しないわよ。こう見えても極真空手二段なんだから」

「二段？　そいつはやばいね。大丈夫、信用してくれ。半径一メートル以内には近寄らない」尾藤はのけぞり、小さく両手を上げた。

弥生の部屋は南向きの１ＬＤＫだ。リビングに足を踏み入れるなり、尾藤はひゅーっと口笛を鳴らした。ソファの上に放り出してあるバッグに目を向けている。

「フェンディにフェラガモ、グッチにシャネルにルイ・ヴィトンか。品評会ができそうだな」

「いっとくけどそれ、全体の十分の一だから」

「すごいな。全部君が買ったのかい？」

「まさか。ブランド品に自分のお金を使う趣味はないの」

半分は本当だが、半分は嘘だ。男からプレゼントされることも多いが、海外旅行のたびに山のように買ってきてしまう。日本には未入荷――この一言に弱い。

寝室に入ると、鍵をかけて着替えを始めた。だが整理棚から洋服を出す時、何となく違和感を覚えた。いつもと何かが違うような気がする。何が、と指摘することはできないのだが。

　気のせいかな――。

　首を傾げながら、寝室を出た。リビングでは尾藤がステレオをいじって遊んでいた。スピーカーから流れているのは、音楽ではなくフランス語の朗読だ。

「大したものだな。これ全部通訳できるんだろう？」

「まあそうだけど、それほど難しい内容でもない。専門用語も出てこないし」

「翻訳もするのかい？」

「時々ね。中瀬公次郎氏が書いたものを、外国人向けに訳すこともある。はっきりいってあたしにとっては、英文や仏文を読むより、お年寄りの日本文を読むほうが厄介ね。意味のわからない言葉や読めないような漢字を使うんだもの。おかげで国語の辞書を使う回数が増えちゃった」

「それなりに苦労はあるということか。それにしても感心するね。こっちは英語だって頼りない。何のために大学まで行ったんだろうな」

「そういう人が殆どよ」コーヒーメーカーをセットしながら弥生はいった。「そういえばあなたのことを、あまり訊いてなかったわね。名刺には肩書きが入ってなかったし。

仕事は何をしてるの？」

「いうほどのものでもないけど、フリーの物書きだよ」

「フリーライター？　へえ、格好いいじゃない」

「そんなことない。君は昔から通訳になりたかったのか」

「なりたいと思ったのは、高校の時ぐらいからかな。それまでは学校の先生になりたかった。今は考えただけでもぞっとするけど」

「僕は教師になりたいと思ったことはないな」

尾藤がいうのを聞いて、えっ、と弥生は彼の顔を見直した。

「でもあなた、教育大学を出たんでしょ。教師になりたかったんじゃないの？」

孝典と同じ大学なら、教育大学のはずだ。彼はそこのゴルフ部出身だった。

尾藤は一瞬虚をつかれた顔をし、それから掌を振った。

「教育大に入ったからといって、誰もが教師になりたがるわけじゃない。他に入れる大学がなかっただけのことさ」

「ふうん」何となくもやもやしたものを胸に感じながら、弥生はコーヒーメーカーのスイッチを入れた。モーター音がし、コーヒー豆が砕かれ始めた。「彼……孝典さんはどういう学生だった？　早くに両親を亡くしたから、苦労したって聞いたけど」

「まあ、そうかな。だけどごく平均的な学生生活を送っていたように思う」

「ゴルフ部での活躍については知らないの」

「少しは知ってるけど、詳しくは知らない。何しろ僕はゴルフに興味がないのでね」

「そう」

弥生は以前孝典から聞いたことがある。学生時代はクラブの練習に明け暮れていて、まともに講義を受けたことすらない。そんな孝典が、どうして尾藤と親しくなったのだろう。そのことを訊こうと思いながら食器棚からコーヒーカップを出そうとしたが、何気なく他の食器を見て、「あっ」と声を漏らした。

「どうしたんだ」

「誰か、この食器棚に触ったみたい……」

「えっ？　気のせいじゃないのか」尾藤がやってきた。

「絶対に違う。ほらこの皿、端が少し黒ずんでる。誰かが触ったのよ」

「ほかの場所はどうだろう」

「ちょっと待って」

弥生は寝室に入り、ドレッサーの引き出しや、小物入れなどを調べた。やはり気のせいではない。物の配置が微妙に違っている。

「ひどい。勝手に人の部屋に入るなんて」

「盗まれてるものはないかい」

「あるわけないじゃない。犯人の狙いは遺言状だもの」

「遺言状？」

尾藤が聞き質《ただ》した。しまった、と弥生は自分の口を押さえた。

「何か隠しているようだな。そんなのってないぜ」尾藤が睨んでくる。

「秘密にするっていう約束だったのよ。でもこうなったら仕方ないわね」

弥生は亀田から聞いた話を尾藤にした。尾藤は腕組みをして唸った。

「そういうことか。で、これで犯人がまだ遺言状を手に入れていないことは確実になったわけだな。でなければ、この部屋を探す必要がない」

「遺言状を盗んだのは孝典さんだとして、どうして彼はそれを隠したのだと思う？」

「おそらく、隠しておかないと危険だと思ったんだろう。北沢は遺言状を読んで、その中身を公表されるとまずい人間に取引を持ちかけたんじゃないかな。早い話が金を要求したわけだ。公表されたくなければ金を渡せという具合にね。店を開くための資金にメドがついたというのは、その金のことだったんじゃないかな」

「それじゃあまるで恐喝じゃない」

「まるでじゃなく、恐喝そのものだよ」

弥生は項垂《うなだ》れた。別れるつもりだったとはいえ、恋人だった男がそんなことをしていたとはショックだった。自分の人を見る目のなさに落ち込んだ。

「君の気持ちはわかるけどさ、落胆している場合じゃないぜ。とにかく行動を起こそう」

「行動って？」

「決まってるだろ、その隠し子、清美さんっていったっけ。その人に会いに行くんだ。遺言状の内容について何か知ってるかもしれないし、もしかすると北沢から何か聞いてるかもしれない」

「ショックで元気が出ないんだけど」

「しっかりしろ。中瀬公次郎の命は、あと少ししかもたないんだろう。遺言状を発見できないままじゃ、北沢を殺した犯人が喜ぶだけだぜ。それに——」尾藤は親指と人差し指で輪を作った。「遺言状を見つけたら謝礼を貰えるんだろ？　相手は天下の中瀬家だ。十万二十万ってことはない。少なくともその一桁上、いやもしかしたらその上ってことも考えられるぜ」

一桁上なら百万円。さらにその上となると——。

弥生は飛び上がった。たしかに落ち込んでいる場合じゃない。

「何のんびりとコーヒーなんか飲んでるの？　行くわよっ」コーヒーカップを口元に運んでいる尾藤にいうと、支度をするため再び寝室に駆け込んだ。


畠山清美はスポーツクラブ内の事務所で働いていた。弥生たちが呼び出すと、「ティールームにいるのを他の従業員に見つかるとまずいので」といって、清美は二人を屋上に連れていった。屋上には花壇や日時計があり、ちょっとした公園のミニチュアという趣がある。午後になって天気がよくなってきたこともあり、ちらほらと客の姿もあった。

「あたし、遺産なんかはどうでもいいんです」

花壇のそばのベンチに腰を下ろし、清美は思いつめたようにいった。顔だちは整っているが派手さはなく、質素な印象を受ける女性だった。

「名乗り出たのは、単に本当のお父さんに会いたかったからです。母も死ぬまで中瀬さんのことを忘れなかったようでしたし」

「お母さんは再婚されなかったのね」

「そういう話はあったようですけど、結局思いきれなかったそうです。やっぱり中瀬さんのことを愛していたのだと思います」

「遺産はどうでもいいということでしたが、中瀬さんから何か話があったんじゃないですか」横から尾藤が口を出した。

清美は躊躇いを見せつつも頷いた。

「おまえにはずいぶんと苦労をかけたから、その償いをしたいとおっしゃいました」

「具体的には、何といっておられましたか？　子供として認知し、他の子供と同じように譲るというような話でしたか？」

「そうですね。大体そういうことです。むしろ、それ以上といったほうがいいかも」

「それ以上？」

「他の子供には今までにも充分なことをしてきたつもりだから、相続に関してはおまえを優先してやる——そんなふうにいってくださったんです」

「優先……か。どういうことなんだろう」

「でもあたし、そんなことしていただかなくても結構ですといったんです。それよりも一度、母のお墓参りに行ってくださいって……」

清美は膝の上に置いた手を、組んだり重ねたりした。

「北沢が遺言状のことについて、あなたに何かいったことはありませんか」

「北沢さんが？　いいえ、何も聞いてませんけど」清美は顔を上げ、首を振った。

これ以上訊くことがないので、引き上げることにした。

途中小さな温室の横を通る時、清美がいった。

「北沢さんは、よくこの温室の世話をしておられました。そういうことをしそうにないタイプなので、ちょっと意外な気がしたものですけど」

「そういえば、ゴルフの試合中でも、つい周りの植物に目がいくといってたことがある。彼、学生時代から植物好きだったの？」弥生は尾藤に訊いた。

どうだったかな、と尾藤は首を捻った。

弥生は温室を覗いた。サボテンの鉢植えが、柔らかい日差しを受けて、暖かそうに並んでいた。

エレベータで下りていくと、事務所から出てきた男が清美を見て目を吊り上げた。

「君、どこにいってたんだ。社長がお呼びだぞ」

「すみません。田中さんに断ったんですけど」

「誰に断ったか知らないが、仕事中に抜けられると困るんだ。俺が怒られるんだからな」

「以後気をつけます」

清美は身体の前で手を揃え、頭を下げた。

「全く……事情を知らなきゃ、とっくにやめてもらってるところだ」

男は吐き捨てると、足早に廊下を歩いていった。

「何よ、あれ」弥生はいった。「いくら何でもひどすぎるんじゃない」

「彼は君が公次郎氏の娘だと知っているようだね」尾藤が清美に訊いた。

「はい。だってあの人も中瀬家の親戚に当たる人ですから。このスポーツクラブの経営に携わっている人の大半がそうです」

「そういえばここの社長は中瀬弘恵さんだったよね」弥生が思い出していった。弘恵は公次郎の長女だ。以前孝典から、三十歳にもならないのに社長だと聞いて、驚いた覚えがある。「いいなあ。親戚に金持ちがいたら、みんな幸せになれちゃうんだ」

すると清美は寂しげな眼差しを弥生に向け、唇を緩めた。

「そういうのを幸せだと思います？　お金に縛られて、お金に振り回されて」

「でもお金はないよりあったほうがいいでしょ？」

清美は首を振った。

「程度問題です。必要もない土地を買い漁ったり、ゴルフをするわけでもないのに会員権だけ買い集めたり、大して欲しくもない絵画に何億円も使ったり……。みんな狂っています。こんなことをしていたら、いつかきっとこの国はおかしくなっちゃいます」

深刻そうに語る清美の顔を、弥生はしげしげと眺めた。

「この国はって……ずいぶんと大げさなことをいうのねえ」

清美は顔をしかめた。

「そうですよね。ごめんなさい、生意気なこといって。じゃあこれで失礼します」頭を下げ、事務所の中に入っていった。

「清美さん、親戚の人たちとはあまりうまくいってないようね」出口に向かって歩きながら弥生はいった。

「それはそうだろう。親戚連中から見れば、財産というアブラゲを横から奪いに来たトンビのようなものだからな。それに僕が調べたかぎりでは、中瀬公次郎の資産の大部分が、先祖伝来の不動産によって生み出されたものだ。要するに、たまたま直系だったから莫大な遺産を受け継げただけじゃないか、という妬みが親戚連中にはある。公次郎の死をきっかけに、その不公平分を取り返したいという思いがあるだろうな」

「そんなふうに金の亡者みたいになっている親戚を、清美さんは清美さんで嫌っているみたいね」

「みんな狂っている、か。たしかにそうかもしれないな」

スポーツクラブの正面玄関から出る時、弥生はふと後ろを振り返った。何となく誰かにつけられているような気がしたからだ。

「どうかしたかい？」

「ううん、何でもない」

気のせいに違いない——自分を納得させて、弥生は自動ドアをくぐった。

6

翌日は忙しい一日だった。同時通訳の仕事のほかに、普通の通訳の仕事まで飛び入りで入ってきたからだ。それでも孝典の死以来、久しぶりに充実した一日となった。

ただ何となく引っ掛かることはあった。どこにいても、誰かに見張られているような気がするのだ。実際、壁や柱の陰に誰かが隠れるのを何度か目撃した。そのたびにおそるおそる覗いてみるが、その時にはすでに相手の姿は消えている。

刑事に尾行されてるのかな——。

気にすればするほど気味が悪くなり、仕事を終えてマンションに帰る途中でも、弥生は時々立ち止まっては後ろを振り返った。足音がついてくるような気がしたからだ。

部屋に帰って少しすると、電話が鳴った。尾藤からだった。

「情報といえるかどうかわからないが、北沢が殺された日の関係者のアリバイを調べてみた」

「アリバイを？　どうやって？」

「それはまあ、いろいろと手を使ってさ。仕事柄、警察にもコネクションがあるしね」

「へえ、見直しちゃった」

「それはどうも。で、結論をいうと、関係者の中に明確なアリバイを持っている人間は殆どいない。北沢の死亡推定時刻は、君が死体を発見した前日の夜らしい。そうなると大抵の人間は自宅にいることになる。家族と一緒にいたというのは、アリバイとして効力がないからね」

前日の夜なら、あたしだってアリバイなんてない、と弥生は思った。

「まあそういうわけで、警察も依然容疑者は絞りきれてないわけだ。ところで君のほうはどうだ。何か変わったことはないか」

「情報はないけど、気になることならある」

弥生が誰かに見張られているという話をすると、「美人は人の視線に馴れなきゃ」とおどけていった後、「刑事が君を見張っているとは思えないな」と真面目な口調でいった。

「何者かな？」

「それが自意識過剰による気のせいでないのだとしたら――」

「失礼ね。違うわよ」

「だとしたら、犯人かもしれない。やはり君が遺言状を持っていると考えているのかも」

「やだな。気味が悪い」

「とにかく気をつけることだ。夜はあまり出歩かないように。ジュリアナもゴールドも、しばらくは我慢だな」

「そう思ったから、今夜は早く帰ってきたのよ。年末でみんなが浮かれてるってのに。あーあ、明日は芝浦で派手なパーティがあるんだけどな。抽選でポルシェが当たるっていってた」

「命あっての物種って言葉を知らないのか。じゃあ、今夜はこのへんで」

おやすみなさいといって弥生は受話器を置いた。それから電話を見つめて、尾藤のことを考えた。フリーライターというけれど、一体どういう仕事をしているのだろう。警察の捜査を熟知している口ぶりだったのが気にかかった。

次の日は仕事がなかったので、朝から久しぶりに泳ぐことにした。スポーツクラブの事務所の前を通る時、窓口から中を覗いてみたが、清美の姿はなかった。

朝早いせいか、プールは驚くほどすいていた。弥生のほかに数人が泳いでいるだけだ。その数人もいつの間にかいなくなり、貸し切りのような状態になった。

そのうちどこからか一人の男が現れ、アクアラングを付け始めた。このプールでは時々、スキューバダイビングの初心者講習を行っている。その教官だろう。

弥生は広いプールを一人で伸び伸びと泳いだ。水の中にいると嫌なことも忘れる。もう一往復したら休憩しよう――そう思ってターンをした時だ、突然水の中に黒い影が現れた。あっと思った次の瞬間には、両方の足首を摑まれていた。強い力で下に引っ張られる。先程のアクアラングを付けた男が、プールの底にいた。

殺される、と思った時だ。引っ張る力が急に弱まり、今度は逆に上に押し上げられた。弥生の首から上が、辛うじて水面の上に出た。あわてて呼吸し、咳こむ。だが足首は摑まれたままだ。

「大丈夫、殺したりはしないから」

頭の上で声がした。見上げると、中瀬弘恵がプールサイドに立っていた。黒地に金色の薔薇が描かれた、とても競泳用とは思えないほど派手な水着姿だった。下から見るからだろうか、脚が長くすらりと伸びて、外国人並みのプロポーションだ。

「どうして……こんなことを」喘ぎながらいった。

「教えてほしいことがあるからよ。遺言状の隠し場所。もしあなたが持っているのなら、すぐに渡してちょうだい」

「あたし、知りません。彼からは何も聞いてないんです」

「そんなはずはないでしょ。あんなに仲が良かったんだもの。毎日のようにこのプールでデートしてたくせに」

「本当に……知らないんです」

口の中に水が入った。男は弥生が何とか呼吸できる程度の位置に保っているのだ。

「お金なら、少しぐらい出してもいいのよ。その遺言状、いくらで売ってくれる？」

「だって持ってないんだもの」

「とぼけないで」

弘恵は腰を落とすとプールの中に手を入れ、子供が遊ぶように水を弥生に向かって飛ばした。口や鼻に入り、一瞬息ができなくなる。

「あなたには関係ないだろうけど、あたしたちには大切な問題なの。古いほうの遺言状だと、くだらない親戚にまで財産を取られることになるのよ。その場合のあたしの取り分は、聞いたところによると全体の五分の一か六分の一。実の娘がよ。こんなに矛盾した話はないわよね。でも新しいほうの遺言状だと、仮に清美さんを相続人に含めたとしても、あたしの取り分は最低三分の一はある。この差が大きいってことはあなたにもわかるでしょ？」

そんなことをいわれてもどうしようもない。

「もしあたしが持っているなら……すぐにお返しします。そんなもの持っていても……仕方ないもの」

「そうかしら。その遺言状が出てきたら都合の悪い人間はいっぱいいる。そういう連中を脅迫するネタになるじゃない」

「あたし、そんなことしません」

「信用できないわね。何しろ、あの北沢君の恋人だから」

弘恵は、尚も水をかけ続けた。鼻にも水が入り、弥生は激しくむせた。

何分ぐらいそうしていただろう。やがて弘恵は手を止めて立ち上がった。

「案外しぶといわね。それとも本当に知らないの？」

「本当に知らないんです」

「それなら約束してちょうだい。もし遺言状が見つかったら、まず最初にあたしに連絡すること。わかったわね」

「でも亀田さんにもそういわれてるんですけど」

「あんなじいさんのことは忘れなさい。いいわね、あたしに知らせるのよ」

万一新しい遺言状の内容が弘恵にとって不利だった場合のことを考えているのだろう。弥生は水の中で頷いた。とにかくこの局面を逃れるのが先決だ。

弘恵はにっこりと微笑んだ。

「素直で結構。万事うまくいったら、あなたにもどっさりお礼をするからね。でも裏切ったら承知しないわよ」

彼女は身体を真っすぐに伸ばした後、見事なフォームでプールに飛びこんだ。数秒後、弥生の足首が自由になった。あわててプールサイドにしがみついて息を整えていると、反対側のプールサイドに弘恵とアクアラングの男が上がった。

弘恵は弥生のほうを向くと、余裕の笑顔で投げキッスをしてきた。

7

スポーツクラブを出ると、弥生は真っすぐに孝典の部屋に行った。遺言状は見つからないにしても、何かヒントがあるのではと思ったのだ。今のままでは安心して生活できない。

もしや見張りがいるかなと思ったが、警官の姿はなく、立入禁止の貼り紙がしてあるだけだった。警察はもう充分に調べたということかもしれない。

合鍵を持っているので部屋に入るのは簡単だったが、さてどこを調べるかとなると困った。室内を見回したが、何となくがらんとした感じだ。どうやら主立ったものは警察が持っていってしまったらしい。

特に意味もなく、額縁の裏を見たり、カーペットをめくってみたりしたが、虚しさがこみ上げてくるだけだった。こんなことで何かが見つかるとは思えない。

助っ人を呼ぶしかないか――。

尾藤のことを思い浮かべてバッグを開いた。しかしいつも持っているアドレス帳を、今日は部屋に置いてきたことを思い出した。

自分に腹を立てながらソファに座りこんだが、すぐに思いついて電話台に近づいた。親友なら、どこかに電話番号ぐらいはメモしてあるのではないかと思ったのだ。

だが警察が持っていってしまったのか、住所録らしきものは見当たらなかった。

次に思いついたのが大学の同窓会名簿だ。実家の連絡先でもわかれば何とかなる。

本棚の中から名簿はすぐに見つかった。孝典の学科を見ると、尾藤茂久という名前が最後のほうにあった。

電話をかけると、三度コールサインが鳴って受話器が上げられた。

「はい、尾藤でございます」若い女性の声だった。

「あの、津田という者ですが、茂久さんはいらっしゃいますか」

弥生がいうと、戸惑ったような沈黙の後、「主人ですか」と相手は怪訝そうにいった。

どうやら尾藤の妻らしい。独身みたいな顔をしていたくせに、とわけもなく不愉快になった。

「ええ、御主人です。いらっしゃいますか」

すると尾藤の妻はまた少し黙ってからいった。

「主人は今、アメリカのほうに出張に行ってるんですけど……あの、どういった御用件でしょう？」

「アメリカ？　それはいつからですか」

「ひと月ほど前からですけど」

「ひと月前……」

「あの、もしもし」

弥生は無言で電話を切った。途端に寒気がしてくる。ではあの尾藤と名乗る男は、一体誰なのだ。

一人でいるのが怖くなり、弥生は孝典の部屋を出た。誰も信用できなかった。

自分のマンションまで帰ってきた時、部屋の前で尾藤が待っていた。正確にいうなら、尾藤と名乗る男だ。

「やあ」彼は陽気な顔で片手を上げた。「事件当夜の関係者の行動について、少し詳しいことがわかったので知らせに来たんだ」

「そう、それはどうも、ありがとう」

自然に振る舞おうとしたが、どうしても頬が引きつってしまう。

「どうしたんだ。顔色があまり良くないけど」

「ちょっと疲れてるの。悪いけど、その話はまた改めて聞かせてくれない？」

「それはいいけど……大丈夫かい？」

「平気。少し休めばよくなると思う。じゃあ、さよなら」

部屋のドアを開けると、素早く中に入った。覗き穴から見ると、尾藤は首を傾げながら立ち去った。

弥生は寝室に駆けこみ、洋服ダンスから別のコートを出した。さらにサングラスをかけ、電話のそばに置き忘れていたアドレス帳をバッグに放り込み、急いで部屋を出た。

マンションを出ると、百メートルほど先を歩く尾藤の姿が見えた。弥生は気づかれないよう注意しながら尾行を始めた。

通りまで出ると彼はタクシーを拾った。すかさず弥生も手を上げる。前の車を尾行するようにいうと、運転手は目を丸くした。

「お客さん、女刑事?」

「CIAよ」

三十分ほど走った後、前の車は高層マンションの前で止まった。弥生は少し手前で降り、尾藤より少し遅れてマンションに入った。

中に入ると、彼を乗せたエレベータが出た直後だった。弥生は階数表示ランプを凝視した。エレベータは九階で停止した。

弥生は郵便ボックスを調べた。九階の住民全員の名字をメモすると、そばにあった公衆電話の受話器を取りあげた。番号案内にかけ、メモした一人目の住民の電話番号を尋ねた。尾藤の番号とは違っていたのですぐに切り、またかけ直した。今度は二人目の番号を尋ねる。

尾藤の番号と一致するものが見つかったのは、六回目にかけた時だ。秋本裕一《あきもとゆういち》、これが尾藤の本名だった。

弥生は再び受話器を取ると、今度は彼の部屋の番号を回した。

「はい、もしもし」彼の声がした。名乗らないのは、偽名を使う必要があるからだろう。

「こんにちは、秋本さん」

弥生がいうと、「やあ」という声がして、それから少し沈黙があった。続いてため息。

やれやれ、と彼はいった。「なぜわかったんだ？」

「そんなことはどうでもいい。理由を説明してちょうだい」

「話すと長くなる。君の部屋に行くよ」

「だめ。あなたと二人きりにはなりたくない」

「またずいぶんと嫌われたものだな」

「当然でしょ。嘘をついてたんだから」

彼はまた長いため息をついた。

「仕方がない。外で会おう。それならいいだろう？」

「人のいるところでないとだめよ」

「わかった。じゃあ広い場所にしよう」

彼が指定してきたのは、この近くにある大きな公園だった。どうやら彼女に尾行されたことに気づいたらしい。

「今シャワーを浴びていたところなんだ。二十分で行くから、待っててくれ」

「わかった」

受話器を置いて時計を見ると、六時を少し過ぎたところだった。

公園に行くと、思った以上に人が多かった。しかもよく見ると、殆どが年配の人だ。弥生は公園内を見回してその理由に気づいた。植木市なるものを開いていて、あちこちで植木鉢を並べている。

弥生はベンチに座り、秋本という男について考えた。一体どういう理由で近づいてきたのだろうか。正体がばれたとわかっても、あまりうろたえた様子はなかった。それは単に芝居がうまいというだけのことなのか。

秋本、アキモト――。

何度か心の中で繰り返し、はっと息をのんだ。孝典が残した『A』という文字のことが頭に浮かんだのだ。Aとは、AKIMOTOの頭文字ではないのか。

じっとしていられなくなり、弥生は立ち上がった。尾藤、いや秋本が孝典を殺した犯人なのだろうか。もしそうだとすると、彼と会うのは非常に危険なのではないか。

弥生は植木市の中を歩き回った。どうすればいいだろうか。警察に知らせるにしても、まだ何の確証があるわけでもない。

そんな時、彼女の目にひとつの看板が飛びこんできた。鉢植えを並べたその横に、「仙人掌あります」と書いてある。

仙人掌?

彼女はそばに寄ってみた。この漢字には横に小さく、サボテンとルビをふってあった。

その瞬間弥生の頭の中で閃きが生まれた。孝典が育てていたサボテンと、彼の言っていた謎の言葉が結びついた。魔法使いの手……仙人の手……仙人の掌……サボテン。

あの温室だ——。

弥生は走りだした。

8

スポーツクラブに来るのは、今日はこれで二回目だ。今朝は弘恵にあんな目に遭わされたので、あまりいい気はしないが、ここに遺言状が隠されているとなれば仕方がない。

中に入ると迷わずエレベータに乗った。一気に屋上まで上がる。さすがにこの時間になると、人の姿はなかった。

弥生は温室の中に入った。見渡すと、サボテンの鉢が三つだけあった。小さなスコップを拾うと、一番大きな鉢に差し込んだ。

すぐに手応えがあった。土の中にビニール袋を埋めてある。慎重に取り出すと、中に白い紙が入っているのがわかった。間違いない。

紙を出して広げてみた。遺言状、という達筆の文字が最初に目に入った。

『遺言状
中瀬公次郎は、後記の私有財産の相続について、以下のように遺言する。

長男中瀬雅之、長女中瀬弘恵が相続すべき財産の全額を、現住所×××の畠山清美に与えるものとする。』

弥生は思わず声を上げそうになった。何と公次郎は、全財産を清美に残すつもりだったのだ。

早く亀田さんに知らせなきゃ――。

そう思って温室を出た時、突然黒い影が横から現れた。その影は背後に回ると、彼女に声を出す間も与えず、首を締めてきた。

弥生はもがいた。本気で殺そうとしているのが、相手の荒い息遣いでわかる。必死になってふりほどこうとしたが、びくともしなかった。

右足を上げると、ハイヒールの踵で思いきり相手の足を踏んだ。うっ、という声がして力が緩んだ隙に、腕をふりほどいた。

「あっ、あなたは……」

目の前にいるのは中瀬雅之だった。雅之は一旦顔を隠したが、もはや無駄と考えたか、両手を広げて弥生に近づいてきた。

「おとなしく遺言状を渡すんだ。君が持っていても仕方がないだろう」

「いつからあたしを尾行していたの？」

後ろに下がりながら弥生はいった。

「ずっと前からだよ。君は必ず何かを知っているだろうと思ったからね。おかげでここ数日はゴルフにも行けず、会社にも殆ど出られなかった」

「あたしの部屋に忍びこんだのもあなたね」

「葬式の日かい？　君が亀田とどこかへ行くのが見えたからね。この隙に調べておこうと思ったわけだ。北沢の部屋に入った時、後のことを考えてキーホルダーを持ち帰っておいたのだが、案の定その中の一つが君の部屋の鍵だった」

恋人ができても、むやみに合鍵を渡すものじゃない――弥生は改めて思い知った。

「孝典さんの部屋に入ったということは、彼を殺したのも……」

「それは違う」雅之は首をふった。「あの夜、奴の部屋に行ったのは事実だが、その時すでに奴は殺されていたんだ」

「嘘よ」

「本当さ。俺は北沢に手紙で呼び出されたんだ」

「手紙で？」

「遺言状を渡してほしければ、五千万円用意して部屋に来いという内容だった。君が今手に持っている遺言状のコピーも同封されていた。それを見て正直驚いた。落胆し、親父を恨んだね。どこの馬の骨ともわからんような小娘に中瀬家の全財産を譲るなんて、こんな馬鹿な話があるか」

「それで、その取引に乗ることにしたの？」

背中に屋上のフェンスが触れた。弥生は横に移動した。

「乗らざるをえないだろう。遺言状が公表されれば、俺には一銭も入ってこなくなる。そこであの夜、北沢の部屋を訪ねたわけだ。そうすると、奴は殺されていた」

「じゃあ誰が殺したっていうの？」

「わからん。とにかく俺としては、遺言状を手に入れることが先決だった。ところが北沢の部屋をいくら探しても見つからない。いつまでも現場にいるのは危険なので引き上げたけど、誰かが発見するんじゃないかと正直気が気でなかったよ」

「残念ね。あたしが見つけちゃった」

「いや、幸運だったと思うよ。まだ誰も君が見つけたことを知らないからね。さあ、こちらに渡してくれ」

雅之は右手を出しながら、さらに一歩近づいた。

「あなたには渡さない」

「わからないことをいうね。俺に渡してくれれば、充分な礼をする。しかし抵抗するとなれば、さっきみたいに腕ずくで奪わなくてはならない」

「奪えるものなら、奪ってみれば」いうや否や弥生は駆けだした。

「あっ、くそっ」

水泳で鍛えているだけに足には自信がある。しかし先程は武器になったハイヒールが、ここでは命とりになった。たちまち雅之に追いつかれた。

「さあ、観念するんだ」

ものすごい形相で、彼は弥生の首に手を回した。殺される、と思わず目を閉じたが、次の瞬間突然圧迫が消えた。目を開くと、雅之は地面に転がっていた。

「正義の味方の登場だ」

すぐそばに秋本が立っていた。弥生はその場に座りこんだ。「もっと早く来てよ」

「無理いうなよ。ここがわかっただけでも上出来だろ。極真空手二段はどうした?」

「あんなの、嘘に決まってるでしょ」

その時だ。雅之が立ち上がって逃げだした。

「あっ、逃げた」弥生は叫んだ。

今度は弥生たちが追いかける番だった。雅之はエレベータを使ったので、二人は階段を駆け下りた。途中で弥生はハイヒールを脱いだ。

一階に下りると、雅之が玄関を出ていくところだった。それを秋本が追い、少し遅れて弥生が走る。他の客が何事かと見てくるが、気にしてる場合じゃない。

だが彼女が外に出た時、車のタイヤが激しくスリップする音が聞こえ、続いて何かがぶつかる音がした。はっとして見ると、道路の手前で秋本が呆然と立ち尽くしていた。

9

警察署を出ると、外で秋本が待っていた。

「散々小言をいわれちゃった。なぜもっと早く連絡してくれないのかって。よくいうわよねえ、自分たちの無能さを棚に上げといて」

「まあ、そういってやるなよ。彼等はシャレードを解く鍵を何ひとつ持っていなかったんだしさ」

「シャレード――文字謎ねえ」

秋本は道路脇に緑色のＢＭＷを止めていた。助手席のドアを開けた。

「部屋まで送っていくけど、その前に案内したいところがある」

「案内？」車に乗りかけて、弥生は彼の顔を見返した。「そういえば、あなたの正体をまだ聞いてなかったわね」

「それを説明するといってるんだ」

運転席に乗りこむと、秋本はエンジンを回した。六本木カローラと揶揄されることもあるが、やっぱり高級車だ。そういうのに乗れるということは、それなりの仕事を持っているということか。

「それにしても危ないところだった。公園に行ったら、君の姿がどこにもないんだもんな。焦ったよ」

「サボテンのこと、よくわかったわね」

「馬鹿にするなよ。あのあたりをうろついていれば、誰だってあの『仙人掌』と書いた看板に気づく」

考えてみると、あの時点ですでに雅之に尾行されていたのだ。ということは、弥生が秋本を尾行していたさらにその後ろに彼がいたことになる。改めて気味が悪くなった。

「中瀬雅之はどうなったのかな」

「どこかを骨折したらしいけど、命に別状はないようだ。まだ意識は戻らないそうだけどね。気がつき次第、警察は取調べをするつもりらしい。北沢殺しの最有力容疑者としてね」

「でも本人は否定してた」

「それを警察がすんなり信じるかね」

やがてBMWはどこかのビルの駐車場に入っていった。弥生は車から降りると、秋本に促されてエレベータに乗った。エレベータを出て廊下を少し歩いたところで秋本は足を止めた。そばのドアを顎で示す。そこには、『秋本法律事務所』と書いてあった。

弥生は驚いて彼を見た。「弁護士だったの？」

「そんなに意外そうにするなよ」

ドアを開けると室内には明かりがついていて、奥の机で一人の老人が何やら書きものをしていた。老人は顔を上げると、「やあ、ご苦労さん」といった。

「紹介しよう。僕の親父で、この事務所の所長でもある秋本弁護士だ」

「お父さん……？」

「私の助手兼息子が世話になったようですな。私からもお礼をいわせてもらいますよ」

秋本老人はしわくちゃの手で握手を求めてきた。

老人の話によると、ついこの間まで彼は中瀬家の顧問弁護士をしていたらしい。しかし体力的に限界を感じたので、今回の相続問題を機に、息子の裕一にバトンタッチすることになった。ところが遺言状は盗まれ、北沢が殺されるという事件まで起きた。そこで裕一が身分を隠し、鍵を握る女性と思われる弥生に近づくことにしたのだという。

「僕のことを知っているのは亀田さんぐらいで、中瀬家の人間は知らないからね、敵を欺きやすかったというわけだ」

「もっと早く教えてくれればよかったのに」

「そういうなよ。こっちだって君のことは全然知らなかったんだから」

「まあまあ。とにかく遺言状が無事に戻ってよかった。大きな声ではいえんが、これでいつ中瀬さんが死んでも大丈夫だ。少々揉めることにはなるだろうけどな」老人は満足そうに頷いた。

「安心できないぜ。何しろ雅之は北沢殺しを否定しているんだ」

「あんなボンクラのいうことを信用するのか」

「雅之は信用できないけど、どうもこのままだとすっきりしないんだ。まずあの遺言状が引っ掛かる。いくら何でも、全財産を畠山清美に譲るというのは、ちょっとやりすぎじゃないか」

「やりすぎでも何でも、そう書いてあるんだから仕方がない。よく調べてみたが、あの遺言状は本物だ。筆跡だって、中瀬公次郎氏のものだ」

父親の自信たっぷりの言葉に、秋本裕一は腕組をして唸った。

「でも、もう一つの謎が解けてない」弥生が横からいった。「Aのこと。孝典さんが書き残したAが何を指すのか、まだわかってないでしょ」

「うーん、シャレードはもう一つあったか」秋本はさらに大きな唸り声を上げた。

10

翌朝早く、弥生は電話の音で目を覚ました。悪態をつきながら受話器を取ると、「おはよう、よく眠ってたみたいだな」と秋本の声がした。

「何、こんな時間に。レディは八時間以上眠らないと、肌の調子に響くってことを知らないわけ？」

「それは失礼。だけどこれを聞けば目が覚めるはずだぜ。公次郎氏が亡くなった」

「えっ、いつ？」

「ついさっきだ。そこで僕たちは、早速遺言状公開の準備に取りかかり始めたというわけだ。君にも一言連絡しておこうと思ってね」

「わかった。あたしもすぐ行く」

受話器を置くなりパジャマを脱ぎ捨てた。

弁護士事務所に着くと、珍しく秋本が背広姿で待機していた。父親は中瀬家に出向いているそうだ。秋本は、これから家庭裁判所に遺言状を提出しに行くのだという。そこで検認を請求しなければならないらしい。

「その検認を受ければ、遺言状として認められるわけ？」

「いや、遺言状の内容を確認するだけで、効力とは何の関係もない。検認の後で無効だという申し立てをすることだって可能だ。とはいえ、今のままだと問題ないだろうが」

「その遺言状が公表されたら、皆驚くでしょうね」

「たぶんね。特に長女の弘恵さんのショックは計り知れないだろう」

弘恵のことを考えると、弥生は複雑な気分になった。彼女は新しい遺言状が出てくることで、自分の取り分が増えこそすれ、減るなどとは夢にも思っていない様子だった。

それがまさか何ひとつ相続できないとは——。

「しかし、どうも納得できないんだよな、あの遺言状。文面が何となく引っ掛かる。中瀬雅之、中瀬弘恵が相続すべき財産の全額を畠山清美に譲る……か。なぜわざわざ二人の子供の名前を出したんだ。財産すべてを畠山清美に譲る、でいいじゃないか」秋本は椅子に座り、頭の後ろで手を組んで天井を睨んだ。

「そんなの本人の勝手じゃない。二人の子供には譲らないぞ、ということを強調したかったんでしょ」

「それが疑問なんだよな。たしかに出来の良い子供ではないが、公次郎氏もそれなりに気にかけていたという話だ。少しは与えるのが当然だと思うのだが、全額を畠山清美に……だものなあ」

秋本は腕を伸ばすと、露のついた窓ガラスに、「全額」と指先で書いた。弥生はそれをぼんやりと眺めていたが、そのうちに何かがシャボン玉のように頭の中ではじけた。

「もしかしたら……」と彼女は呟いた。

「何だい、どうかしたのかい？」

「まだわからない。でももしかしたら、あたしの推理が当たっているかもしれない。遺言状を見せてくれる？」

「それはいいけど、何がわかったんだ？」

「Aの謎よ。もしかしたら、とんでもない大逆転があるかもしれない」

11

中瀬公次郎の葬儀は、死後三日目に行われた。中瀬興産社長という肩書きにふさわしく、とにかく何もかもが豪勢な式だった。

葬儀の後、中瀬家の関係者が邸宅の応接間に集められた。公次郎の遺言状を公開するためである。二代目顧問弁護士となった秋本裕一の最初の仕事だ。弥生も彼の助手のような顔をして同席した。

「さてそれでは、これから中瀬公次郎氏の遺言状を読みあげます」

秋本は鞄の中から書類を出すと、抑揚のない口調でゆっくりと読みあげていった。全額を畠山清美にという部分で、一同からどよめきが起こった。

「そんな馬鹿な」

「狂ってるわ。公次郎さんは頭の病気が原因で、そんなものを書いたのよ」

親戚連中が口々に不満をぶちまけた。当の清美は隅の席で、じっと下を向いたまま動かない。

「その遺言状、見せていただける？」

すっと立ち上がったのは弘恵だ。「ええ、どうぞ」と秋本は渡した。

弘恵は立ったまま遺言状を凝視していたが、顔を上げると首を振った。

「こんなもの偽物よ。父が書いたものだという証拠があるの？」

「しかしその署名は間違いなく公次郎氏のものだと思われますし、印も本物です」

「あたしには、父の筆跡と微妙に違って見えるんだけど」

「気のせいです。納得できないのでしたら、何か公次郎氏が書かれたものと比較なさったらいかがです」

秋本がいうと、弘恵は頷いた。

「是非そうしたいわね。亀田さん、何か適当なものはない？」

指名されて少し考えるような顔をした後、亀田は小さく手を叩いた。

「手帳がいいんじゃないでしょうか。社長がスケジュールを書いたり、ちょっとしたメモをするのに使っておられました。たしか書斎の机の引き出しに入っていたはずです」

「わかりました。それではええと……」秋本は皆を見回した後、清美に目を止めた。

「申し訳ありませんが、ちょっとその手帳を取ってきていただけませんか」

「あ、はい」清美は小声で返事すると、応接間を出ていった。

「さて、後は結果待ちですね」秋本がいった。

弘恵は不機嫌そうな顔で他の親戚たちを見ると、「お聞きのように、皆さんには現時点では関係ありません。もし偽物だと判明した場合には御連絡しますので、今日のところはお引き取りください」と冷めた口調でいった。

一人の中年男が立ち上がった。

「ちょっと待てよ。偽物かどうか、我々にも確かめさせろよ。偽物なら我々にだって関係してくる。もう一通の遺言状が有効になるからな」

弘恵が、ふんと鼻を鳴らした。

「あたしが嘘をつくと思ってるの？　偽物であってほしいと思ってるのは、あたしだって同じよ」

睨まれ、中年男はいい返せなかった。結局親戚連中全員が、何事かぼやきながら、ぞろぞろと部屋を出ていった。

後には息苦しいような沈黙が残った。誰も言葉を発しない。

やがて足音が聞こえて、清美が戻ってきた。

「すみません、探すのに手間取っちゃって。あら……他の人たちは？」

「関係ないので帰ってもらったのです。ああ、これがその手帳ですか」秋本は黒表紙の手帳を受け取ると、ぱらぱらと頁をめくった。「あまり書かれていないようですね。これでは筆跡を比較できない……おや？」その手が止まった。

「どうしました？」亀田が訊いた。

「驚きましたね。こんなところに遺言状の文句を書いてある。殆ど同じだ。どうやら下書きをなさったようです」

「何と書いてありますか」弘恵が勢い込んで訊く。

「ですから同じですよ。長男中瀬雅之、長女中瀬弘恵が相続すべき財産の全額を、現住所×××の畠山清美に与えるものとする——となっています」

「全額ね」弘恵はため息をついた。

「ええ、全額です」

「あの、あたし、何といったらいいか」清美が困惑した顔を左右に動かした。「こんなことになって、一体どうしたらいいんでしょう」

「別に困ることはありません」秋本は優しくいった。

「そうでしょうか。でもそんなすごい財産を、あたし一人がいただくなんて……」

「だからその心配はないといってるんです。この遺言状は無効です。それが今、はっきりしました」

えっ、と清美の表情が中途半端に止まった。その彼女に向かって秋本は続けた。

「この遺言状を注意深く見ると、ひとつだけ不審な点がある。それは『全額』の『全』という字だ。万年筆で書かれたものだが、光の当て具合でインクの色の微妙に違う部分があることに気づく。そこで我々はこう推理した。これは元々『全』という字ではなく、こういう字だったんじゃないか、と」

秋本は自分のノートの余白にペンで大きく、『仝』と書いた。

「これは『同じ』という字の古字だ。つまり遺言状の内容はこうなる。長男中瀬雅之、長女中瀬弘恵が相続すべき財産の仝額（同額）を、畠山清美に与える。公次郎氏は、三人の子供に三等分して譲るつもりだったんだ。一応公次郎氏が書かれた書類なんかを調べてみると、やはりふだんから古字の仝という字を使っておられたことが判明した」

「後は誰が書き替えたか、よね」弘恵が唇を曲げて清美を見た。「当然、その書き替えによって得をするのは誰かということになるのだけれど」

「我々が君を疑わざるをえないのはわかるだろう？　ただ、どうやって確かめるか、それが難しかった。そこでちょっと姑息な手段ではあったけれど、罠を仕掛けさせてもらったというわけさ」秋本は手帳を取り上げた。「じつをいうと、この手帳は我々が仕掛けたんだ。中に書いてあった下書きも、公次郎氏の筆跡を真似て書いたものだ」

清美の顔がみるみる歪んでいくのがわかった。「何だって……」

「この手帳にはこう書いてあったはずだ。長男中瀬雅之、長女中瀬弘恵が相続すべき財産の『仝額』を、畠山清美に与える、とね。ところが今見ると、仝の字が全に変わっている。線を一本付け足したわけだ。誰がこんなことをしたか。それができたのは清美さん、君しか考えられない。手帳を取りに行った君は念のために中を見た。そして遺言状の下書きらしきものがあるのを見つけ、あわてて書き替えたというわけさ」

清美は口を閉ざしている。いい返したいが、言葉が見つからないという感じだ。

「なぜこんなことをしたのか、とは訊かない。君は弘恵さんたちと同額の遺産ではなく、全額欲しかったということなんだろう。そのほかのことは、警察に行ってからしゃべってくれ。北沢殺しも含めてね」

突然応接間のドアが開いた。そこに立っているのは、森本刑事たちだった。

清美は両方の拳を強く握りしめると、秋本を睨みつけながら立ち上がった。

「偉そうなことばかりいうんじゃないよ。何にもわかってないくせにさ」

吐き捨てるようにいうと、刑事たちを押しのけて出ていった。

12

「つまり、どういうことなんだ」

秋本老人は息子に訊いた。ここは秋本弁護士事務所の中だ。

「発端は、北沢が例の遺言状を見つけたことさ。奴は誰かに頼まれたとかじゃなく、偶然見つけて持ち帰ったんだ。その後奴は清美に接触した。取引を持ちかけるためだ」

「その取引というのが、遺言状の偽造だったわけね」弥生がいった。

「そう。『全額』というのを『全額』と変えるだけで、全財産が清美に転がりこむ。公次郎氏の回復の見込みはないから、こっそり戻しておけば誰にも気づかれない。偽造を黙っておくから分け前を三分の一寄越せというのが、北沢の出した条件だった」

「清美はその取引に乗ったのだな」

「正確にいうと、乗るふりをしたわけだ」秋本は父親にいった。「清美は公次郎氏やその家族を恨み続けていた。境遇を考えれば、理解できないことじゃない。彼女が突然現れたのも、中瀬家の財産を奪うためだった。それだけに北沢の提案は魅力的だ。ただ、北沢に一生つきまとわれるのは嫌だった。そこで取引に乗るふりをして奴を殺すことにしたが、どうせなら誰かに罪を着せてやれと考えた。そうして選ばれたのがボンクラの雅之だ。清美は、確認のためといって北沢に遺言状のコピーを一部作らせると、それに脅迫文を添えて雅之に送った。これが欲しければ、五千万円持って部屋に来いという内容だった。五千万円という、案外少ない額にしたのがミソだ。このぐらいなら、雅之は迷わず来るだろうと踏んだらしい」

「清美としてはそれまでに孝典さんを殺し、遺言状を奪って逃げるつもりだったのね」

「ところがいくら探しても遺言状は見つからない。ぐずぐずしていたら雅之がやってくるので、とりあえず北沢の部屋を出たが、清美としては心配で仕方がなかった。万一雅之が遺言状を見つけたら、処分されてしまうに決まっているからな」

「でも幸いなことに遺言状はあたしが見つけた。さらに都合のいいことに、ボンクラ雅之はあんなことになっちゃったってわけね」

　先程連絡が入ったのだが、雅之の意識がようやく戻りつつあるということだった。

「もし死んでいれば清美としては理想的だっただろうがね。死ななくても北沢殺しの容疑が雅之に集中するのは確実だ。後は遺言状に沿って、全財産を相続するだけ――とまあ、そんなふうに考えてたんだろうなあ」

「全財産か。ふうん」秋本老人は下唇を突き出し、ゆらゆらと頭を振った。「馬鹿なことを考えたものだなあ。馬鹿で無駄なことを」

「無駄?」弥生は聞き直した。「馬鹿なことだとは思いますけど、清美にとっては無駄ってことはなかったんじゃないですか。うまくいけば莫大な財産を独り占めできたわけだし」

「ところがそうじゃないんだよ」横から秋本がいった。「遺言状というのは尊重されるべきものだけど、絶対的なものじゃない。遺留分制度といって、相続財産の一定割合については、遺言の力は及ばない。たとえ全財産を清美に与えると書いてあったとしても、雅之氏や弘恵さんの取り分がなくなるなんてことにはならない。その意味では彼等子供たちは、つまらない心配をしたということになる」

「なんだ、そうだったの。じゃあ、本当に清美は馬鹿ね。何もしなければ、三分の一の財産をもらえたのに」

「たぶん彼女の犯行動機は、そういうものではなかったと思うよ。それはともかく」秋本はそばのホワイトボードに改めて『仝』の字を書いた。「あぶなかった。こいつに気づかなければ、面倒臭いことになるところだった」

「あたしに感謝しなきゃね」弥生はいった。

「ほほお、トリックに気づいたのは弥生さんだったのか」秋本老人が感心した目を向けてきた。「一体何がきっかけでわかったのかね」

「Aです」

「A？」

「北沢孝典のダイイング・メッセージです。彼が書いたのはアルファベットのAではなく、『全』や『仝』の字の上の部分なんです。たぶん最後まで書く前に力尽きてしまったのだと思います」

秋本が『全額』という字を窓に書いた時、弥生は閃いた。中瀬公次郎がしばしば『仝』という字を使うことは、彼の文章を外国語に訳する時に気づいていたのだ。

「なるほど、たしかにAに見えるな」老人は何度も指で書いて頷いた。

「それにしても複雑な事件だった。最後まで文字謎——シャレードに振り回されたよ。たしかに君がいなければ解決できなかった。礼をいうよ」

「それだけ？　何かプレゼントしようとか、そういう発想はないわけ？」

「ああ、そうだ。大事なことを忘れていた」秋本は懐からメモ用紙を取り出した。「警察で聞いたんだけど、北沢孝典は十二月二十四日にホテル・コルテシア東京のスイートを予約していたそうだ。最上階のフレンチレストランも押さえている」

「二十四日？　イブじゃない」弥生は背筋をぴんと伸ばした。「すっごーい。コルテシアなんて、半年前でも予約がいっぱいっていう話なのに」

恋人がいなくても、とりあえずイブの夜にホテルを予約するというのが、最近の男たちのトレンドだ。それを怠った者は、当日、キャンセルされた部屋の争奪戦に参加することになる。もしそれに敗れれば、行く当てがなくなるだけでなく、肝心の恋人も失ってしまう場合が多い。

「ホテルによると、北沢は一年前から予約を入れていたみたいだな。で、勿体ないので、キャンセルしないで僕が引き受けることにした。どうだい、恋人が死んじゃったことだし、どうせイブは暇だろ？」

弥生はむっとしたが、すぐに閃いた。

「フレンチは付き合ってあげる。でもホテルは保留。食事の後で考えるから、そのままにしておいて」

「おっ、脈はあるってことか」秋本は意外そうな顔をした。冗談半分で誘ったのだろう。

「さあ、それはどうかしらね」弥生は首を傾げてみせた。

もちろん秋本とホテルに泊まる気なんてない。後で何人かの男友達に電話をかけてみよう。未だにイブのホテルを確保できてなくて困っている鈍臭い連中なら何人もいる。

超高級ホテルのスイート——さあ、一体いくらの値が付くか楽しみだ。

レイコと玲子

1

昼頃から降り始めた雨が、夜になって本降りになった。ざあざあと激しい音をたてて路面を叩く。泥を含んだ水が、小さな川となって側溝を流れていった。

道端に若い娘が一人、傘をさして立っていた。街灯もない細い道で、隣の酒屋に置いてある自動販売機や公衆電話の光が唯一の灯りといえたが、娘はむしろそういった光から遠ざかるようにしていた。

そこへ、どこからか男が現れた。中年の太った男だ。黒い傘をさした男は、若い娘の前を通る時、じろじろと彼女の顔と全身を眺めた。だが娘は全く表情を変えず、斜め下あたりに目を向けていた。

中年の男は酒屋の自動販売機の前に立った。灰色のズボンのポケットを探り、じゃらじゃらと小銭を取り出した。それをコイン投入口に入れようとしたところで、ちっと舌を鳴らした。

男は小銭をポケットに戻し、何台かある販売機を全部見て回った。何が気に入らなかったのか、最後には男は機械を長靴で蹴った。

「くだらねえことしやがって」吐き捨てた。独り言なのか、すぐそばにいる若い女を意識してのことなのかはわからなかった。彼女は依然として無表情だった。

男は少しの間うろうろしていたが、結局自動販売機の前を離れ、来た道を引き返していった。その時も彼は、若い娘を上から下まで舐めまわすように見た。

中年男が去った方向から、別の男がやって来た。ベージュ色のスーツを着た、背の高い男だった。彼は娘がそこに立っていることに気づいたらしく、傘をちょっと上げて一瞥したが、特に気にした様子もなく彼女の前を通過した。

彼もまた酒屋の前で立ち止まった。だが自動販売機ではなく、公衆電話に近づいていった。傘の柄を首と肩で挟み、窮屈な格好で小さな紙切れをポケットから出すと電話機の上に置いた。それから受話器を上げてテレフォンカードを差し込んだ。

娘は移動を始めていた。背筋をぴんと伸ばし、上下動の少ない歩き方で、レインコートの男に背後から近づいた。

気配を察したのだろう、番号ボタンを押し終えたところで男は振り返った。若い女と目が合って、彼はぎょっとしたようだ。同時に、彼の顔に別の驚きの色が現れた。何か言葉を発しようとした。

　だがその前に娘は、体当たりするように男の懐に飛びこんでいた。男はびくんと身体を痙攣させると、傘と受話器を持っていた手を放した。受話器はぶらさがり、開かれたままの傘は地面に落ちて独楽《こま》のように一度くるりと回転した。

　男は両手で彼女の肩を摑んだ。遠目ならば、恋人同士の抱擁に見えないこともなかったかもしれない。しかし彼の顔は醜く歪められていた。何かを叫ぶように口を動かしたが、声は発せられなかった。

　娘は男から離れた。男は一歩、二歩と足を踏みだした後、崩れるように両膝をつき、そのままばったりと前に倒れた。彼の胸にはナイフが刺さっていた。その傷口からは血が滲み出ている。彼はその傷の痛みを何とかしようとするように、倒れてからも蛇のように悶えていた。

　娘は脇に立ち、男の様子を眺めていた。雨は一層強く、苦しむ男の全身にも容赦なく落ちた。やがて男が動かなくなると、彼女はしゃがみこんでナイフの柄を摑んだ。引き抜こうとしても、男は何の反応も示さなかった。間もなく彼女は完全にナイフを抜き取ったが、傷口からはわずかに血が流れ出ただけだった。

　彼女はナイフをハンカチに包むと、ポシェットの中にしまった。そして傘をくるくる回しながら、闇の中へと消えていった。

2

浅野葉子《あさのようこ》が自分のマンションに着いたのは午前三時を過ぎた頃だった。雨は少し小降りになっていた。先程まではハイスピードで動かしていたワイパーも、今は通常のスピードに戻している。

駐車場の一番端が葉子の借りているスペースだ。青のメルセデス・ベンツをバックで入れると、彼女は車を降りて傘をさしたが、マンションに向かおうとして足を止めた。すぐ横の自転車置き場で、誰かがうずくまっていたのだ。

葉子はおそるおそる近づいた。そこにいるのは若い娘だった。白いブラウスに、近頃の女性には珍しく、赤いひらひらした長いスカートを穿いていた。誰かが捨てたと思われる古いスパイクタイヤの上に尻を載せ、両手を膝の上で組んで、その中に顔をうずめている。

「そんなところで何してるの？」葉子は声をかけた。しかし女は身動きひとつしなかった。葉子はさらに近づくと、彼女の肩に手をかけて揺すった。「ねえあなた、どうしたの？」

　揺すられて娘はようやく上体を起こした。葉子が想像したよりもさらに幼い顔だちをしていた。十六か七か。あるいはもっと下かもしれない。白い頬と、適度に吊り上がった目が印象的だ。その目を少し眠そうに瞬《しばたた》いてから、彼女は葉子を見て身体を引いた。

「あなた、誰？」

　葉子は吐息をついた。

「質問しているのは私のほうなんだけど。なぜこんなところにいるの」

「歩き疲れて、少し休みたかったから……」

「歩き疲れて？」

　娘は頷いた。

「そう。ここなら屋根があるから雨にも濡れないし」

「どこから歩いてきたの？」葉子は訊いた。「あなたのような若い子が、こんな時間に疲れるほど歩く必要があるの？」

「だって……」娘は悲しげな目をした。「どこにも居場所がないんだもの、歩くしかないでしょ」

「居場所がない？　家出でもしたの？」

彼女は首を振った。「わからない……」

「わからない?」葉子は眉間に皺を寄せた。「どういうこと? 自分の行動がなぜわからないのよ」

「わからないんだもん。仕方がないでしょ」娘は再び身体を折り曲げ、両腕の中に顔を伏せた。

葉子はわざと大きなため息をついた。

「まあいい。あなたがどこから来たのかなんて、私には関係のないことだものね。風邪をひかないよう気をつけなさい」

彼女は踵を返すと、再びマンションに向かって歩きだした。だが階段を上がりかけたところで、振り返った。娘は先程と同じ姿勢をしていた。

葉子は自転車置き場まで戻った。

「送ってあげる。あなたの家はどこ?」

しかし彼女は何も答えず、身体を揺するようにして頭を振った。

「どういうこと? 家に帰りたくないの? でもこんなところにいて、これからどうするつもり。悪いことはいわないから――」

その時、娘が顔を上げた。目から涙がこぼれ、頬を濡らしていた。葉子は口を開いたまま、次の台詞をいいそびれた。

「わからないの。思い出せないの」彼女はいった。「自分がどこから来て、これからどこへ行くつもりだったのか。それに……自分が一体どこの誰なのかも思い出せない」

「何ですって……」葉子は彼女を見下ろし、絶句した。

「気がついたら、歩いてた。でもなぜ自分がこんな夜中に歩いているのか、全然わからない。だけど歩くしかなくって……それでこのマンションの前まで来たの」

もどかしそうに彼女は頭を抱えた。その様子は嘘をついているようには見えなかった。つまり彼女は記憶喪失に陥っているということだろうか。

とにかく、と葉子はいった。「とにかくこんなところにいるのはよくない。私だって、若い娘を置きざりにしたままじゃ気分がすっきりしないから」

「じゃあ、どうすればいい？」

「とりあえず、私の部屋に来なさい。あなたが休む場所ぐらいは提供できる」

彼女は泣きはらした目で、じっと葉子の顔を見つめた。警戒の色が濃く出ていた。

「心配しなくても、あなたを焼いて食おうってんじゃないわよ」葉子は苦笑した。「嫌だと思えば、すぐに出ていけばいい」

娘は考え込んでいた。もし本当に記憶がないのなら、恐ろしく心細い思いをしていただろうから、葉子の申し出は有り難いはずだ。しかし記憶を失っているだけで、判断力をなくしたわけではない。彼女は葉子が信用するに足る人物かどうかを、彼女なりに判定しているのかもしれない。

沈黙の後、彼女はゆっくりと立ち上がった。「何か温かいものが飲みたい」

「私もよ。紅茶を入れたげる」葉子は頷きながらいった。

3

死体を発見したのは深夜タクシーの運転手だった。盛り場で拾った客を降ろし、再び元の盛り場まで戻る途中のことだった。

「二時近くになっていたな。眠気覚ましに缶コーヒーでも買うつもりで、この道を通ったんです。ふだんは殆ど使わない道ですがね。で、人が倒れてるでしょ。しかも死体ですからね。驚きました」

運転手は刑事に説明した。退屈な毎日に飽き飽きしていたのか、死体を発見したことが大層嬉しい様子だった。

「あたりに人影はありませんでしたか。あるいは酒屋までの途中、誰かとすれ違いませんでしたか」ベテラン刑事は欠伸を噛み殺してから訊いた。寝ているところを叩き起こされたので、まだ頭がぼんやりしている。

運転手は首を捻った。

「さあ、誰もいなかったようですよ。何しろあんな時間ですから、人気のないのが当然じゃないですか」

死体を見て、刑事たちは他殺だと確信していた。胸に刺し傷がある。鑑識課員は一側刃性刃物であろうと推定した。片刃の刃物ということだ。しかも刃の厚さはあまりない。少し大きめの果物ナイフではないかということだった。

「返り血はどうかな。あまり血が吹き出た様子もないが」刑事は鑑識課員に尋ねた。

「殆どないだろうね」鑑識課員は答えた。「絶命してからナイフを抜いたんだ。ポンプ役の心臓が止まってるから、血の吹き出る道理がない」

なるほど、と刑事は納得した。

死体の身元は、所持していた身分証明書等から明らかになった。名前は前村哲也《まえむらてつや》。証券会社に勤めるサラリーマンで、年齢は二十九歳。スーツはアルマーニで、時計はロレックス。財布には現金二十万円強と各種クレジットカード、タクシーチケットなどが入っていた。三十歳にもならない若造が豪勢なものだ、と刑事は思った。それはともかく、物盗りの犯行でないことは確かなようだ。

住居はこの付近ではない。また、そばの公衆電話にテレフォンカードが差しこまれたままになっていたことから、誰かを訪ねてきて、その家に電話をかけようとしたところを襲われたのではないかと推察された。電話機の上には白い小さな紙片が置いてあり、そこには番号が書かれていた。

夜中に訪ねるのだから相手は女かもしれないな、とベテラン刑事は考えた。被害者の恋人がこの付近に住んでいることになる。犯人がその女だとは限らないが。

間もなく、被害者が乗ってきたと思われる車が、現場近くの路上で見つかった。紺色の真新しいセルシオで、若い刑事の一人はこの仕様なら六百万円以上するはずだと値踏みした。薄給の公務員たちは仏頂面でメモをとった。

死亡推定時刻は、午前一時から二時の間と推測された。タクシーの運転手は、二時少し前に発見したといっている。いくら夜中とはいえ、何十分間も誰も通らないということは考えにくいから、犯行時刻は一時台後半だろうと思われた。

近所の聞き込みは夜が明けてから行うということになった。とはいえ、有力な情報が得られる見込みは少ないと刑事たちは覚悟していた。真夜中だし、元々人通りの少ない道だ。しかも先程まで雨が強く降り続いていて、少々の物音ならかき消されてしまっただろう。

「朝まで休息だな。それまでには雨もやむだろう」

所轄の警部が天を見上げていった。

彼が予言した通り、朝になると天気は回復した。刑事たちは上司の指示に従って、付近の聞き込みに回った。殆どの住民はまだ事件のことは知らなかったから、刑事たちの訪問を受けて戸惑いの色を見せた。昨夜午前一時から二時の間に、不審人物を見かけたり、何か物音を聞いたりしなかったかという質問にも、大部分の者は寝ていたから気づかなかったと答えた。

だが間もなく、思いがけぬ重要な証人が現れた。被害者を見かけたという人間が現れたのだ。近所で小さな本屋を経営している男だった。

男の話によると、昨夜二時前、缶ビールを買おうと例の酒屋に行ったらしい。ところが自販機の表示はすべて『中止』になっていた。元々、午後十一時から午前五時の間は自販機による酒類の販売は禁止されている。だが小売店にとっての大きな収入源ということで、今までは見逃されてきた。ところが未成年者の飲酒を誘発するということで俄に風当たりが強くなり、最近では殆どの店が深夜には自販機を停止させるようになった。本屋の親父はそのことを忘れていたのだ。それで諦めて引き返したが、その途中で被害者らしき男とすれ違ったという。

「それはたしかにこの人ですか」

刑事は写真を見せて確認した。前村の身分証明書の写真を引き伸ばしたものだった。他の刑事もこの写真を持って、聞き込みに当たっている。

本屋の親父は大きく頷いた。

「間違いないです。こんな夜中にどこの誰だろうと顔を見ましたから」

「この人は一人でしたか」

「一人でした」

「何か変わった様子はなかったですか。急いでたとか」

「さあ、そこまでは気づかなかったなあ」

「何か手荷物を持っていませんでしたか」

「どうだったかな。手ぶらだったと思いますよ。片手をポケットに入れ、もう一方の手で傘をさしていたんじゃなかったかな」

「あなたが昨夜見かけたのは、この男性だけですか」

刑事がこの質問をすると、本屋の親父は少し身を乗り出した。

「いや、それがですね、酒屋のそばに女が一人立っているのを見たんです。女というより、娘といった方がいいかな」

「娘？　何歳ぐらいですか」刑事もまた相手に顔を寄せた。

「ええとね、高校生ぐらいってところかな。なかなか奇麗な娘でしたよ。最初は商売かなと思ったんですが、まさかあんなところに立ってるわけはないしねえ」

親父は好色そうな笑みを浮かべ、舌を出して唇をべろりと舐めた。売春のことをいっているらしい。声をかけようとしたのかもしれないと刑事は想像したが、口には出さなかった。

「女は何をしていましたか」

「何もしてません。ぼうっと立ってるだけでした。誰かを待ってたのかな」

「何か持ってましたか」

「どうだったかな。よく覚えてないなあ」

「服装は？」

「ふつう……だったと思うなあ。ボディコンとかじゃあなかったです」

「奇麗な娘だといいましたね。顔は覚えているんですね」

「ええ、覚えてます。ちょっと洋風の人形みたいな顔だちでした」

本屋の親父は相変わらず好き者の顔でいった。どうやらじろじろと眺めまわしていたらしい。この手の男は、若い女となると遠慮がなくなる。

「身体の特徴はどうですか。背が高かったとか、痩せていたとか」

「低いほうじゃなかったですよ。痩せてもいなかったな。最近の娘は発育がいいのか、とにかく身体だけは一人前でしたね。あれでボディコンを着てたら、立派な大人の女ですよ」

やはりじろじろ見ていたらしいと刑事は確信した。無論そのほうが捜査には役に立つ。

本屋の親父の証言を元に、女の似顔絵が作られた。出来上がった絵を見て、そっくりだと親父は太鼓判を押した。

絵は聞き込みにあたっている捜査員たちに配られた。

4

自然に目が覚めたので時計を見ると、まだ八時過ぎだった。いつもなら土曜日は昼頃まで眠っている。ましてや昨夜は遅かった。やはり気持ちが平静ではないということだ。

葉子は服を着て寝室を出た。リビングのソファで、例の娘が毛布にくるまって寝息をたてていた。テーブルの上に、飲みかけのミルクティーが置いてある。昨夜彼女はそれを飲みながら少し話をしていたが、そのうちに眠ってしまったのだ。葉子が隣の部屋から毛布を持ってきてかけてやったのだが、よほど疲れていたらしく、枕代わりにクッションを彼女の頭の下に置く時も、目を覚ます気配すらなかった。

洗面所で顔を洗いながら、葉子は彼女の話を思い出していた。何も覚えていなくて、気がついたら道を歩いていたのだという。このあたりの地理に見覚えはないのかと訊くと、見たことがあるようにも思うし、初めてのような気もすると彼女は答えた。

そんなことがあるのかなと葉子がいうと、だって本当なんだものと彼女は少し悲しそうな目をして答えた。

葉子が顔を洗い終えた時、リビングから呻くような声が聞こえた。彼女は洗面所を飛び出した。娘がソファの上で身悶えして泣いていた。

「どうしたの、しっかりしなさい」

彼女が肩を摑んで揺すると、娘は身体の動きを止め、ゆっくりと瞼を開いた。充血した目が葉子の顔を捉えた。

「どうしたっていうの」葉子はもう一度訊いた。

「あっ、あたし……」虚ろな表情で娘は呟いた。「あたし、昨日ここに来たのよね。あなたに助けられて……」

「そうよ。あなたは記憶をなくしているといっていた。何か思い出したの？」

娘はあまり焦点の定まっていない目を宙に漂わせた。

「夢の中で何かを見たような気がする。あたしは中学校の制服を着ていて……そうだ、文化祭の準備をしてた」

「文化祭？」

「学校に遅くまで残って、衣装作りをしてた。あたしのクラスは演劇をする予定で……」娘は眉根を寄せ、頭痛をこらえるように両手でこめかみを押さえた。「だめだ。そこから先はわからない。それに、何だか気分が悪い」

「水を持ってきたげる」

グラスの水を飲みほすと、彼女は少し落ち着いた表情になった。

「ごめんなさい。面倒をかけちゃって」グラスを返しながら娘は謝った。「シャワーを貸して下さい。汗を流して、顔を洗ったら出ていきます」

「行くところはあるの」

娘は首を振った。

「じゃあ、どうするつもり？」

娘は傍らのクッションを引きよせると、両腕で抱えた。

「そのへんを歩きまわってみる。そうして何か思い出すのを待つ」

「当てにならない方法だなあ」

「だって、ほかにどうすればいいのかわからないんだもの」

「落ち着いて考えよう」葉子は顔の前で人差し指を立てた。「まず手がかりを探すの。あなたは何か手荷物を持っていなかった？」

「さあ、どうだったかな」彼女は頼りなく首を傾げた。

「昨夜私があなたを見つけた時、あなたは殆ど濡れてなかった。つまり傘をさして、ここまで来たということだと思う。その傘をどこへやったか覚えてない？」

「傘？」しばらくしてから彼女の目に輝きが蘇った。「そうだ。あたし、たしかに傘を持ってた。右手で傘をさして、左手でポシェットを抱えて……」

「ポシェット？」葉子は身を乗り出した。「そんなものを持ってたの？」

「うん、たしかに持ってた。あの傘とポシェット、どこへやっちゃったのかな」

「ここで待ってなさい。私が自転車置き場を見てくる」

　葉子は部屋を出ると、自転車置き場に行った。昨夜娘が座っていたタイヤの後ろに、傘とポシェットが落ちていた。白色のポシェットは蓋が開いて、リップクリームがこぼれ落ちそうになっていた。

葉子はそれらを持って部屋に戻った。バスルームからシャワーの音がしていた。しばらくすると洗面所のドアが開き、娘が濡れた髪をバスタオルで拭きながら顔を出した。頬が上気している。

「シャンプーと洗顔石鹸をお借りしました」

「どうぞ。ところでこれに見覚えはある？」

ポシェットを差し出すと、娘は大きく頷いた。

「たぶんこれだと思います。自転車置き場にあったんですか？　ありがとう」

「野良犬に持っていかれなくて助かった」

葉子がソファで新聞を読んでいると、娘が洗顔を終えて戻ってきた。葉子はどきりとした。化粧をしているわけでもないのに、ちょっと顔を洗っただけで、人形のような愛らしさに蠱惑的な魅力が加わっていた。

「みにくいアヒルの子のパターンね」葉子は娘の若さを羨ましく思いながらいった。

「どこのお姫様かと思うよ」

娘は向かい側の椅子に座ると、ポシェットの蓋を開いて逆さまにした。財布とティッシュペーパーと鍵がテーブルの上に落ちた。財布はグッチだったが、今時の女子高生が持っていたって少しも不思議ではない。

「手がかりになりそうね」

「だといいんですけど」

娘は不安そうに財布を開いた。千円札が数枚見える。小銭も入っているようだ。あとはテレフォンカードだけで、彼女の身元を示すようなものはなさそうだった。

あっ、と彼女は財布を見ていった。「アルファベットで何か書いてある」

「どれどれ」

葉子も覗きこんでみると、財布の内側に、『ＲＥＩＫＯ』と彫ってあった。買った時、店で入れてくれたのだろう。

「レイコというのがあなたの名前らしいわね。いい名前じゃない」

「本当にそうなのかな」

「違っててもいいよ。とりあえずレイコってことにしておこう。名無しじゃ、何かと不便だから」葉子は鍵を取り上げた。「これはどこかの部屋の鍵だな。たぶんあなたが住んでいるところじゃない？」

「どんな家なのかな」

「まるで他人事みたいね」葉子は鍵をテーブルの上に戻した。「仕方がない。あなたの提案を受け入れて、外へ出るとしよう。昨夜あなたがこのマンションまで歩いてきた道を、逆に進んでいくわけ。そうすれば、とりあえずあなたが記憶をなくしたスタート地点までは戻れるかもしれない」

「うまくいくかな」

「わからないけど、やってみる価値はあるでしょ。その前に――」葉子は両手で膝を叩いて立ち上がった。「まずは腹ごしらえをしましょ。すきっ腹だと頭が働かないから」

「ああ、助かった」娘は表情を和ませた。「おなかがペコペコ。死にそうなくらい」

「手伝ってちょうだい。スクランブルエッグぐらいなら作れるでしょ」

「任せてください」彼女も立ち上がった。「卵料理は得意だから」

「得意？」葉子は娘の顔を見返した。「そんなことは覚えているのね」

いわれて彼女も不思議そうに顔を傾けた。

「そうですね。変なの。でも、卵料理ならうまく作れそうに思うんです」

「卵ならたっぷりある。記憶を取り戻せそうだと思うなら、いくらでも作ってちょうだい。ただし食べるのはあなたよ。私は今、ダイエット中だから」

レイコは笑って頷いた。

5

前村哲也に別居中の妻がいたことは午前中に判明した。加津子《かづこ》という女で、ワンルームマンションで一人暮らしをしていた。刑事の訪問を受けた時、彼女は仕事に出かけようと靴を履いたところだった。近所のデパートにある化粧品売り場で働いているのだという。そのせいか化粧の仕方が垢抜けていて、整った顔だちをより一層ひきたてていた。

刑事から前村が殺されたことを聞かされると、加津子はぽかんと口を開け、続いて顔を歪めて刑事にいった。「嘘でしょう？」

「残念ながら事実なんです」刑事は事務的にいった。

加津子はしばらく動かないでいたが、やがてぐらりと靴箱に手をついた。

「誰が殺したの？　どうして殺したの？」

「現時点では、まだ何もわかっておりません」

彼女はふうーっと長い息を吐いた。

「あの人が……殺されたんですか。そんな……まさか……」

突然のことに、彼女はどういう反応を示していいのかわからない様子だった。信じられない、と何度も繰り返した。だがさほど悲しんでいるようには見えなかった。

「現場の状況から判断しますと、通り魔や強盗の仕業ではなさそうなんです。奥さんに何か心当たりはありませんか」刑事は尋ねた。

加津子は俯いたまま頭を振った。

「私が知るわけないでしょう。もう半年も別居してるんです」

「一番最近御主人に会ったのはいつですか？」

「いつだったかな。もうずいぶん会ってないから……。あの、刑事さん、ちょっといいですか。遅れるってことを職場に電話したいんですけど」

「ああ、どうぞ」

加津子は靴を脱いで部屋に上がると、蒼ざめた顔で電話をかけた。親戚の者が亡くなったので今日と明日は欠勤したいと、比較的落ち着いた口調でいった。

彼女が受話器を置くと同時に、「最近御主人と電話で話をされたことは？」と、刑事は訊いた。

「一週間ほど前だったと思います。あの人からかかってきたんです」

「お差し支えなければ、話の内容を教えていただきたいのですが」

彼女は少し躊躇した様子を見せてから、「離婚のことです」と答えた。「あの人は虫のいいことを考えていました。何とかして一円も出さずに別れようと思っていたんです。でも私は、何としてでも慰謝料を貰うつもりでした。それでいつものように口論になって、結局話がまとまらないまま電話を切りました」

「慰謝料……ということは、別居の原因は御主人の側にあるのですか」

「ええ、そうです。あの人――」加津子はごくりと唾を飲みこんでから続けた。「外に女を作ったんです。帰りが遅くなることが増えたし、時には泊まってくることも……カプセルホテルで泊まったとかいうんですけど、嘘に決まってます」

「嘘に決まってる……つまり御主人は、まだ愛人の存在を認めてはおられなかったわけですね」

加津子は頷いた。

「とぼけてました。でも私にはわかるんです。いつだったか、ワイシャツのボタンがとれかかっていたのを、私の知らないうちに直してあったことがありました。問いつめると、会社の女の子に直してもらったっていうんです。そんなこと、信用できるはずがないでしょう? だからその女の子の名前を教えてといったら、そんなことどうでもいいじゃないか、自分の夫が信用できないのかとかいって怒ったふりをするんです。そんなことが何度かあって、私もあの人と一緒にいるのが嫌になりました。それで半年ほど前に、私のほうから家を出ました」

「相手の女性に見当はついておられるのですか」

だが加津子は鬱陶しい顔でかぶりを振った。

「尻尾を摑んでやろうとしたんですけど、なかなかうまくいきませんでした。一体どこの女なのかしら？　興信所に頼もうかとも思ったんですけど、ああいうところって依頼料が馬鹿にならないって聞いたから、つい延び延びになってしまってたんです」

「御主人に、もし本当にそういう女性がいたのなら、間もなく明らかになりますよ」刑事はいった。

遺体の確認と、詳しい調書をとるため、刑事は加津子に署まで同行してくれるよう頼んだ。彼女は気乗りせぬ様子だったが、拒否はしなかった。

加津子は署では約二時間の足止めを食うことになった。遺体の確認はすぐに済んだのだが、夫の愛人についてさらに突っ込んだ質問が繰り返されたからだ。しかし彼女の口から、有益な情報は出てこなかった。

最後に彼女は一枚の似顔絵を見せられた。若い女の顔だった。見たことのない女だと加津子は答えた。

「この女が愛人なのですか」加津子は逆に刑事に訊いた。

「いや、まだ決まったわけではありません。現場付近で目撃されたというだけです。愛人というには、少し若すぎるようですしね」

加津子は似顔絵をもう一度じっくり見てから、「そうですね。たぶん違うと思います」といった。

「なぜそう思いますか」刑事は訊いた。

「だって、あの人の好みじゃありませんから」

そして夫の好みはこういう顔だと示すように、加津子はちょっと顎を上げてみせた。

6

「どう？　何か思い出せそう？」レイコが昨夜歩いてきたという道を逆行しながら、葉子は尋ねた。

しかしレイコは首をふった。「だめ、何も出てこない」

「もう少し行ってみよう」

道幅は狭いが、大型のトラックなどが頻繁に行き交う道だった。両側にガードレールが設けられている。ここを歩いた覚えはあると彼女はいった。

少し行くと四つ角に出た。だが実質的にはT字路で、直進の道は細く、大型自動車は進入禁止になっていた。

「どっちから来たか覚えてる？」

葉子が訊くと、彼女は自信なさそうに直進の細い道を指した。「あの道から来たように思うんだけど」

信号を渡ってその道を進んだが、少し行ったところでレイコの記憶が曖昧になった。

「わからない。この場所に見覚えはあるんだけど、どうやってここまで来たのか……」

どうやら記憶の消えた原因は、この付近にあるらしい。葉子はあたりを見回した。小さな煙草屋が目に止まった。

「ここで待ってなさい。昨夜何か変わったことがなかったかどうか、訊いてくる」

彼女を電柱の陰で待たせ、葉子は煙草屋に近づいた。灰色の背広を着た男性客が、何やら絵のようなものを店番の老婆に見せているところだった。

「こういう顔でなくてもいいんだ。同じような年格好の娘に心当たりはないかね」男が尋ねている。老婆は幾分迷惑そうな顔だ。

「近頃の娘は、みんな同じように見えますからねえ」

「だから思い当たる名前を全部教えてくれればいいんだ」

「名前なんて知りませんよ。いちいち訊くわけにもいきませんからね。――はい、いらっしゃい」老婆は葉子を見て、愛想笑いを浮かべた。

「ラークを下さい」千円札を渡しながら葉子はいった。その後で質問に移るつもりだったが、男が持っている絵を見て言葉を呑み込んだ。そこに描かれている似顔絵がレイコに酷似していたからだ。息を整えた後、「何ですか、その絵は？」と野次馬を装って尋ねた。

「いや、別に」男はあわてた様子で絵を丸めた。「おばあさん、何か思い出したら連絡頼むよ」

「はいはい」

男は立ち去った。その後で老婆はラークの箱と釣り銭を葉子の前に置いた。

「今朝、この先で人殺しがあってね。そのことですよ」小声で教えてくれた。

「人殺し？」

「若い男の人が胸を刺されたとかでね、今朝から何度も刑事が来るんです。このあたりで変な人間を見かけなかったかとか、刃物が落ちてなかったかとか」

「さっきの似顔絵は……」

「さあ、詳しいことはいわなかったけど、犯人の顔じゃないんですか。まだ若い娘みたいだけど、近頃の子は恐ろしいねえ」

「ふうん……どうもありがとう」じわりと掌に汗が滲んだ。

煙草を受け取って元の場所に戻ると、娘は電柱の横で座りこんでいた。葉子が彼女の肩に手を置くと、びくりと身体を震わせた。

「収穫なし。とりあえず部屋に帰りましょう」

「どうして？」

「ちょっと思いついたことがあるの。とにかく帰ってから作戦会議よ」

「はい」

レイコを従えて葉子はマンションに戻ったが、来た時とは別の緊張があった。刑事が付近をうろついている可能性は充分にある。今ここで見つかりたくはなかった。

マンションに着くと、葉子は彼女に鍵を渡して、先に部屋に戻っているように指示した。そして自分は自転車置き場に行った。

スパイクタイヤの付近を念入りに調べてみた。積上げられたタイヤの中に、白い布でくるんだものが落ちていた。葉子はそれを拾い上げ、開いてみた。包まれていたのは果物ナイフだった。ナイフの刃にはどす黒いものが付着していた。

やっぱり、と口の中で呟いた。

それを包み直すとハンドバッグに入れ、葉子は再びマンションを出た。犯行現場を見ておくためだった。が、途中に電話ボックスがあるのを見て中に入った。

葉子が電話したのは、恋人の藤川真一《ふじかわしんいち》のところだった。真一は外科医をしている。挨拶もそこそこに、「すぐに部屋まで来て」と葉子はいった。

「珍しいじゃないか。余程のことがないと部屋には入れないくせに」真一はいつものおどけた調子でいう。

「その『余程のこと』が起きたの。急いでね。お願いよ」一方的にいい、電話を切った。

電話ボックスを出ると、先刻の煙草屋の前を通って真っすぐ歩いていった。酒屋があって、その前に制服警官が立っている。現場はこのあたりらしいと葉子は察した。

酒屋に入り、ワインを選ぶふりをしながら、店主に事件のことを尋ねてみた。禿げ頭の店主は、もうそんなに噂が広がっているのかと、うんざりした顔をした。

「ナイフで刺されたって聞きましたけど」

「ああ、電話してるところを襲われたらしい。公衆電話の受話器が外れたままになってたっていうから」

「へえ……」

葉子は白ワインを一本買って店を出た。警官が二人、ぶらぶらしている。捜査状況について尋ねたかったが、不審に思われない方法が思いつかなかった。もし所持品を調べられたりしたら大変だ。バッグの中にはナイフが入っている。諦めて引き返すことにした。

マンションに戻ると、玄関の鍵があいていた。ただいまといってドアを開けた途端、寝室のほうから悲鳴が聞こえてきた。葉子は靴を脱ぎ捨てて部屋に駆けこんだ。

真一が部屋の真ん中で呆然と立ち尽くしていた。レイコはベッドの向こう側に身を伏せて震えている。

「おい、葉子。どうなってるんだ、これは」

真一が訊いてきたが、それには答えず葉子はレイコに駆け寄った。だが彼女はひどく怯えて、泣きわめくだけだ。

「大丈夫。この人は私の知り合いなの」

そういって身体を揺すったが、レイコは叫び続けた。まるで葉子の顔も視界に入っていないようだ。

「しっかりしなさい」

葉子はレイコの頬をひっぱたいた。すると娘はゼンマイが切れた人形のように動きを止め、やがて瞼を閉じてぐったりした。

「彼女に何かしたの？」

レイコをベッドに寝かせながら葉子は真一に訊いた。

「何もしてないよ。ここに来たら彼女がいたので、君は誰だと訊いただけだ。そうしたら急にパニックを起こしちゃってさ」

「あなたがこんなに早く来ると思わなかった」

「すぐに来いといったのは君だぜ。用件はこの眠り姫か？」

「そういうこと。ちょっと外に出ましょう」

葉子は彼をベランダの外に連れ出し、今までの経過を説明した。

真一は目を剝いた。

「何だって？　じゃあ彼女は殺人犯ということじゃないか」

「声が大きい」

「なぜ警察に連れていかない？」

「あなた、今まで何を聞いてたの？　彼女は記憶をなくしてるのよ。人殺しをしたことも覚えてない。それなのにどうやって自首させろっていうの」

真一は葉子の顔をじっと見つめ、続いて腕組みをした。

「なるほどね。君のいいたいことはわかった。彼女に君は人殺しなんだというわけにもいかないしな」

「もちろんよ。そんなことは無意味」

「となると」真一はベランダの手すりにもたれた。「何とかして記憶を元に戻すしかないわけか」

「それであなたに来てもらったってわけ。記憶喪失を戻す方法はないの?」

「おいおい、俺は外科医だぜ。いや、もし精神科医だったとしても同じことだろうな。記憶喪失の特効薬なんてものはない。まず、彼女が記憶をなくした原因を探るのが先決だ」

「原因は殺人行為そのものじゃないかな。人を殺したという意識が、彼女の精神に影響を及ぼした、とか」

「かもしれない。しかし記憶をなくした地点が、殺人現場から少し離れているというのは気に入らないな」

結論らしきものが出ぬまま、二人は部屋に戻った。すると、レイコがぼんやりと壁のほうを向いて立っていた。

「目が覚めたみたいね」葉子はいった。

ゆっくりとレイコは振り返った。葉子は息を呑んだ。彼女の手に包丁が握られていたからだ。キッチンから持ってきたらしい。さらに葉子をどきりとさせたのはレイコの目だった。さっきまでと違い、感情らしきものが全く感じられなかった。

「どうしたの？　さっきもいったけど、彼は私の知り合いで――」葉子は言葉を切った。レイコが包丁の先を自分の喉に当てたからだ。

「さなえさんに会わせて」抑揚のない声でレイコはいった。

「さなえさん？」

葉子が尋ねるのと同時に、真一が少し動いた。だが葉子はそれを目で制して、「それは誰？　記憶が戻ったの？」と訊いた。

「さなえさんを連れてきて。今すぐここに連れてきて。連れてきてくれないと――」彼女は包丁を両手で持ち直した。「あたし、死ぬから」

葉子は真一と顔を見合わせた。レイコがなぜ突然このような変貌を見せたのか、わけがわからなかった。

「わかった。さなえさんを連れてきてあげる。さなえさんはどこにいるの？」

「アパート」

「どこのアパート？」

「一丁目三番地十五号××ハイツ、二〇三号室」

ここからすぐのところだ。しかも例の殺人現場の近くだった。

「わかった、行ってくる。真一さん、彼女を見張ってて」

「男はだめっ」今まで無表情だったレイコがヒステリックにわめいた。「男と二人だけにしないで」

葉子は驚いて娘を見た。レイコは憎しみのこもった目を真一に向けていた。

「よし、じゃあ俺が行ってくる」彼はいった。

「場所、わかる？」

「大丈夫、任せてくれ」真一は葉子の耳もとで囁いた。「多重人格だ」

7

現場の公衆電話に残されていたメモの番号から、被害者前村哲也が電話をかけようとしたのは市原《いちはら》早苗という女性であることが判明していた。早速二人の刑事が早苗のアパートに出向いた。現場から徒歩約一分のところに、そのアパートはある。

早苗は塾で英語の講師をしているということだった。今日は休みらしく、トレーナーにジーンズという軽装だ。

早苗は訪ねてきたのが警察の人間だと知ると、「レイちゃんに何か？」と訊いてきた。

「れいちゃん？　誰ですか、それは」中年の刑事は尋ね返した。

「知り合いの女の子で、行方不明なんです。彼女のことじゃないんですか」

刑事はもう一人の刑事と顔を見合わせた後、懐から一枚の絵を出した。

「この人ではありませんか？」

例の似顔絵だ。早苗の顔に驚きの色が走った。

「そうです、この子です。何かあったんですか」

「その前にこの人の名前を教えていただけませんか。どこの誰なんですか」

「どこって……お隣です」

刑事たちは隣のドアを見た。山下、という表札が出ていた。

早苗によれば、娘の名前は山下玲子というらしい。

「山下さんのお孫さんです。ねえ刑事さん、何があったんですか」

だが刑事は答えず、隣室のチャイムを鳴らした。しかしいくら待っても反応はない。

「玲ちゃんのことで、息子さんの家に行っておられるはずです。今朝早く、山下のおばあさんが起きたら、玲ちゃんの布団が空になっていたそうなんです。おばあちゃんが寝たのは夜の十時頃で、その時には部屋にいたということなんですけど……」早苗がいった。

中年刑事は若手刑事に目配せした。近所での情報を集めさせるためだ。若手刑事が足早に去るのを見送ってから、中年刑事は改めて早苗のほうを向いた。

「じつは昨夜遅く、この近くで殺人事件がありましてね。前村さんという方が殺されたのです。御存知ですね、前村哲也さんを」

ところが早苗の反応は、刑事の予期せぬものだった。

「マエムラさん？　いいえ」ごく自然に首を振ったのだ。

刑事はうろたえた。

「御存知ない？　そんなはずはないでしょう。前村さんは、昨夜あなたに電話をかけようとしているところを殺されたのですよ」

「昨夜？　でもあたし、昨夜は家にはいませんでした」

「どちらにおられたのですか」

「人と会ってました。同じ講師仲間で、ソエダさんという人です」

「男性ですか」

「はい」早苗は俯き、唇を舐めてから顔を上げた。「結婚の約束をしています」

「ははあ……」刑事は戸惑った。早苗は前村の愛人だろうと決めてかかっていたからだ。彼は前村の写真を見せた。「この方ですが、本当に知らないのですか」

早苗は写真を手にとってしばらく眺めていたが、やはり首を振った。

「お会いしたことはありません」

「おかしいですねえ。じゃあ、どうしてあなたに電話をかけようとしていたのかな」

「あたしにはわかりません。あの……玲ちゃんに何か関係があるんですか」

「まだわかりませんが、関係があると我々は考えています」

刑事は彼女の姿が現場付近で目撃されていることを話した。

まさか、と早苗はいった。「どうしてそんなことに……」

「信じられないかもしれませんが、その場にいたのは事実なのです。だからこうして似顔絵に描かれています。ところで玲子さんとあなたの関係は？」

「隣同士ということで親しくしているだけです。玲ちゃんはあたしのことを姉のように慕ってくれて、よく遊びに来るし、時々泊まることもあります」

「泊まる？　隣同士で？」

ええ、と早苗は目を伏せながら頷いた。

「その子は高校生ですか」刑事は訊いた。

「いいえ、学校には通っていません」

「えっ、でもまだ十代でしょ」

「そうです。十六……だったかな」

「中学を出て、どこかに働きに行ってるわけですか」

「そうじゃなくて、いろいろと事情があるみたいです」早苗は歯切れが悪い。

「ははあ……」

どうやら話しにくい内容のようだ。そのあたりは保護者から話を訊こうと刑事は思った。

「では最近、山下玲子さんに何か変わったことはありませんでしたか」

「さあ……」早苗は少しの間黙りこんでいたが、結局首を振った。「特に何もなかったと思います」

刑事は頷いてから、先程の前村の写真をもう一度見せた。

「くどいようですが、本当に見たことはありませんか。よく考えてみて下さい」

「本当に知らないんです」

早苗の泣きだしそうな表情を見て、刑事は退散することにした。

アパートを出た後、刑事は本部に連絡した。そのまま見張れというのが上司からの指示だった。

若い刑事が戻ってきて、聞き込み結果を報告した。たしかに若い娘が、老婆と一緒に住んでいるらしい。なぜ両親と同居していないのかは不明だった。

二人の刑事は自分たちの車をアパートの向かいにある駐車場に止め、早苗の部屋を監視した。三十分ほどそうした頃、一台の青いベンツが道路に止まった。降りてきたのは三十代半ばと思える男だった。身なりを見るかぎりでは、怪しげではない。だがアパートの階段を上がる時、周囲に注意を払うように首を回した。刑事たちは身体を低くして、見つからないようにした。

数分後、男が階段を下りてきた。市原早苗も一緒だった。彼女の表情は、先程よりも一層険しくなっていた。

男は早苗を助手席に座らせると、激しくエンジン音を響かせて車を発進させた。無論刑事たちも出発した。

8

本当にあるんだなと葉子はレイコを見ながら思った。多重人格のことだ。今までは小説や映画でしか馴染みがない。

もし彼女が本当に殺人者なら厄介な話になる、と葉子は職業柄思った。裁判では責任能力が争点になるだろう。刑法三十九条の条文を思い返した。葉子は弁護士だった。

レイコはさっきからずっと同じ姿勢だ。包丁を喉に当て、どこか遠くを見るような目をしている。

「訊いてもいいかな?」

葉子が話しかけると、娘はゆっくりと顔を向けた。

「なぜ人を殺したの?」

するとレイコは包丁を握る手に力をこめたようだ。息を荒くしているのがわかる。

「取ったから」彼女はいった。

「取った? 何かを奪われたということ?」

レイコは、こっくりと首を折った。

「大事なもの。あたしの大切なもの」

「それをあの人がとったの?」

「あいつが……」憎悪を滲ませて口を開いたが、次には激しく首を横に振っていた。

「違うんだ。あいつじゃなかったんだ」

「どういうこと? 何が違うの?」

「うるさいっ」レイコは包丁を一旦葉子に向け、再び自分の喉に当てた。「それ以上しやべるな。死ぬから。本当に死んでやるから」

　葉子はため息をついてソファに座り直した。時計を見ると、真一が出ていってから十五分以上が経過していた。

　時計の針がさらに五分の時を刻んだ頃、玄関の鍵の外れる音がした。ドアが開いて、真一が入ってきた。彼の後ろには、髪の長い、清楚な感じの女性がいた。

「レイちゃん」その女性は目を見張り、叫んだ。「ここで何してるの？　みんな心配しているのよ」

「おねえさん」レイコの顔がみるみる紅潮した。「会いたかった……」

「そんなもの持って、あぶないじゃない。刃物をあたしに頂戴」

　早苗が近づこうとすると、レイコは幼児のように身体を揺すった。

「いやだ、おねえさん、あたしを裏切ったくせに」

「レイちゃんを？　何いってるの。いつあたしがレイちゃんを裏切った？」

「あたしを騙したじゃない。いつまでも一緒にいるっていったくせに。結婚なんかしないっていったくせに」

「レイちゃん、ちょっと待って。お願いだから、あたしの話を聞いて」

「いやだ、聞かない。おねえさんの嘘つき」

レイコの目からは涙が溢れ出していた。赤く染まった頰が、ぐしょぐしょに濡れ、涙はぽたぽたと絨毯の上に落ちた。

「落ち着いて、レイちゃん。いつもおとなしくあたしの話を聞いてくれるでしょ。いつもみたいにして、ね」

子供をなだめるような口調で早苗はいった。レイコは刃物を構えたましゃくり上げている。この様子から、葉子は二人の関係をおぼろげながら悟った。

「ねえ、レイちゃん。あたしが結婚しても、あたしとレイちゃんの関係は変わらない。レイちゃんはいつだって遊びに来ればいい。何も変わらない」

「そんなの、嘘だ。おねえさんだって、男のほうが大事に決まってる。男と変なことをするんだ。あたしのことなんか、どうだっていいんだ」レイコは叫んだ。その拍子に包丁の先端が彼女の喉を少し傷つけた。

赤い血が首筋に流れるのを見て真一が動こうとしたが、葉子は咄嗟に腕を出して、それを押しとどめた。

「あぶないよ、レイちゃん……」早苗がいった。

「こっちに来ないで」レイコは再び叫んだ。「おねえさん、前は、男なんか必要ないっていってたじゃない。それなのにどうして男なんかを好きになるの？　あたしなんかより、男のほうがいいの？　どこがいいの？　男と変なことをするのがそんなに楽しいの？」

「そうじゃないの。レイちゃんだって、きっとわかる時が来る。男の人を好きになる――」

「あたしは男なんて嫌いだ」レイコは身をよじらせ、そばにあったクッションを投げつけた。「おねえさん、あの男の名前を教えて。あいつはどこにいるの？　あたしが殺してやる。おねえさんを取るなんて許せない」

殺すという言葉を聞いた瞬間、早苗の顔に悲観の色が走った。レイコがすでに人を殺していることに思い至ったようだ。

「レイちゃん……あなた、やっぱりあの男の人を殺したの？　なぜそんなことしたの？」

「あいつは……あいつは……おねえさんを……」

「知らない人よ。あたしの全然知らない人。レイちゃん、あなただってわかってるでしょ。だからあたしの恋人の名前を訊いてるんでしょ？　あなたが殺したのは、全然関係のない人よ。あなた、一体誰を殺したと思ってるの」

レイコの動作が止まった。包丁を持つ手だけがぶるぶると震えている。能面のように顔の表情がなくなった。

「あぶない」葉子は真一に囁いた。「混乱している」

真一は壁づたいに移動を始めた。

数秒後、悶えるように身体を捻じると、レイコは顔を歪めた。

「おねえさんのためにやったのよお」

彼女は包丁を少し離し、身体を後ろにそらせた。弾みをつけ、思いきり包丁の先端を喉に突き立てようとした。

「やめて、レイちゃんっ」

早苗が悲鳴を上げたのと同時に、真一がレイコの横から飛びかかっていた。彼女の腕を押さえ、その手から包丁を奪おうとした。

獣のような声を上げてレイコは抵抗した。彼女の爪が真一の首筋に食い込み、血が流れ出た。

やがて真一は包丁を奪うことに成功した。レイコは宙を摑むようなしぐさをしながら、さらに激しく叫んだが、力が尽きたようにその場に崩れ落ちた。

「レイちゃん」

早苗が駆け寄り、レイコを抱き上げた。娘は気を失ったらしく、ぐったりとしていた。

真一が顔をしかめながら葉子のところに戻ってきた。「ひどい目に遭った」頬と首に、三本の爪痕が残っていた。

「もしもし浅野さん、何かあったのですか」

激しくドアを叩く音がして、男の声が聞こえた。葉子が玄関に行ってドアを開けると、見たことのない男が二人、緊張した顔つきで立っていた。一方の男が警察手帳を出した。真一たちを尾行してきたのだなと、葉子はすぐに察した。

「浅野さんですね。ここに市原早苗さんが来ておられるはずですが」年配の刑事が訊いた。

「ええ、おられます。それからあなた方が探している女の子もね」

葉子は刑事たちを部屋に入れた。彼等は早苗とレイコを見て、一瞬立ち尽くした。

「これは一体……」

「話せば長くなるんですけど、御説明しないわけにはいきませんわね」

葉子がいった時、レイコがゆっくりと目を開いた。

「レイちゃん、大丈夫？」

「あたし……どうしたのかな」彼女は軽く頭を振り、あたりを見回した。それから早苗に気がついていった。「あなたは……誰？」

9

入院生活はさほど辛くないのか、玲子は元気そうだった。あの雨の日に会った時と同じ笑顔を返してくる。祖母らしき女性が看病に来ていた。小柄で気の弱そうな老婦人だった。いろいろと御迷惑をおかけしたそうで、と葉子に白髪の頭を下げてきた。

担当医師と刑事の立ち会いの下で、葉子は玲子から話を聞くことになった。医師は女性だ。祖母には一旦部屋から出てもらった。

当たり障りのない話をいくつかした後、「ご飯はきちんと食べてる?」と葉子は訊いた。

「はい、ここの食事、わりとおいしいから。でも卵料理の少ないのが残念」

「あなた、卵が好きだものね。おいしかった、あの日のスクランブルエッグ」

「また作ってあげる」そういってから玲子は下を向いた。「いつになるかわからないけど」

「大丈夫。たぶんそんなに先じゃない」

「でもあたし……人殺しなんでしょ」

「あなたがしたことじゃない。あなたの身体を使った別の人間がしたことよ」

「だけど結局あたしでしょ。頭がおかしくなって、殺したんだよね」玲子はしくしくと泣きだした。「早苗さんという人にも迷惑をかけちゃった。きっと嫌われたよね」

「そんなことない。あなたのことをすごく心配してたわよ」

「本当？　あたし、もう一度会って、きちんと謝りたいの。早苗さんに会えるかな」

「会えるわよ。任せといて」

女医が椅子から立ち上がった。もうそろそろ、という意味らしい。葉子も刑事に目くばせして腰を上げた。

「また来るわね、玲子ちゃん」

声をかけると、玲子はちらりと振り向き、微かに笑みを浮かべた。この状態でも何とか笑えるなら安心だと葉子は思った。

部屋を出ると、今西《いまにし》というベテラン刑事は太いため息をついた。

「弱りました。一向に記憶の蘇る気配がないようです。このままじゃ、本人からの供述がとれない」

「容疑者を自白させるプロも、今回はお手上げですか」

「からかわないで下さい。あの子の記憶が戻らないことには、事件の全容がさっぱりわからんのです。なぜあの子は前村を刺したのか。前村はなぜ市原早苗に電話をかけたのか」

「電話……ねえ」

前村が公衆電話に近づいて番号ボタンを押し、背後から玲子が近づく——そんな光景が葉子の頭に浮かんだ。

市原早苗が前村を知らないというのは、おそらく事実だ。では前村のほうはどうか。彼女のことを知っていたのだろうか。あんな時刻に電話をかけようとしたのだから、知らないわけがない。彼は電話番号を書いたメモを持っていたらしい。誰かから早苗の番号を教えてもらったということか。会ったこともない早苗に電話をかけ、一体何を話そうと思ったのか。

一方、「もう一人の玲子」は前村のことを早苗の恋人だと思い込んだらしい。なぜそんな人違いが生じたのか。

人違い？

そうだ、前村の場合もその可能性がある。彼が電話で話したかった相手は、早苗ではなかったのではないか。ところが何らかの手違いがあり、別の電話番号を控えてしまった。

いや、そうじゃない——。

手違いではなく、何者かの意図によるものだとは考えられないか。

「ねえ、先生」今西の言葉が、葉子の思考を中断させた。「やはり先生が弁護を引き受けるつもりですか」

もちろん、と彼女は微笑んだ。「私以外に適任者はいないでしょ」

「まあそうかもしれませんが」今西は耳をほじった。「するとあれですか。やっぱり責任能力の線で押すわけですか」

「さあ、それはどうかしら」その手もある。しかしそれだけではない。「ちょっと教えていただきたいんですけど、あの夜の被害者の行動はわかってるんですか」

「それははっきりしています。あの日は大阪出張で、最終の新幹線で帰ってきた後、一旦会社に寄ってから帰宅したようです。大阪出張の時は、それがいつものパターンだというから、企業戦士は辛いですな。で、帰ってから車に乗って現場に向かったらしいです」

「ふうん……いつものパターンねえ」

「それがどうかしましたか」

「いいえ、また教えてもらいたいことがあれば連絡しますので、その時はよろしく」

適当に話を切り上げて、葉子は刑事と別れた。

病院を出ると、彼女は自分の車に乗って市原早苗のアパートに向かった。確かめておきたいことがあるのだ。

玲子の心の病気については、すでに早苗や両親たちから聞いてあった。原因は中学時代にあるらしい。彼女は家から一キロほどのところにある中学に徒歩で通っていたのだが、文化祭の準備で遅くなった帰り、数名の男から暴行を受けたのだ。男たちは逮捕されたが、それですべてが終わったわけではない。玲子の精神的ショックがいかに大きかったかは、彼女が数か月もの間、口をきけなかったという事実から窺える。そしてようやく口をきけるようになった時には、彼女は全く人が違っていた。つまりこの頃から別の人格が現れたと考えられる。

彼女は父親を含むすべての男を嫌悪し、部屋から一歩も出ようとしなかった。学校にも行かず、人形と話すだけの毎日だった。

何とか立ち直らせようと、両親が母方の祖母のアパートに同居させたのが去年のことである。その時点では、彼女が最も心を許す相手だったからだ。

この試みはうまくいった。隣室の市原早苗と親しくなったのだ。早苗は彼女に同情し、勉強や料理や編み物を教えたり、時には一緒に買い物に出掛けたりした。そのおかげで玲子はずいぶんと明るくなったが、早苗以外の人間に対する時は以前のままだ。つまり彼女にとって早苗との生活だけがすべてだったのだ。

警戒はしていた、と早苗はいっている。このままでは益々玲子をだめにしてしまう。だがどうすればいいのか。うまい手が見つからないうちに、まずいことが起きた。早苗に恋人のいることを玲子に知られてしまったのだ。玲子は逆上した。彼女の興奮を鎮めるため、早苗は結婚の意思はないと偽らざるをえなかった。

この安易な嘘が悲劇を招いたと早苗は反省しているが、その点を責めるのは酷だと葉子は思っている。責められるべきなのは、子供のことを他人に押しつけようとした両親だ。その両親は、娘がこんなことになっているというのに、葉子のところへまともに挨拶にも来ない。一体どういうつもりなのかと腹立たしかった。

早苗はアパートにいた。しばらく塾を休んでいるのだという。

「あなたが気に病むことはないと思うんだけど」

「それだけじゃなく、いい機会だからリフレッシュしようと思って」早苗は笑顔を見せた。

「ところで訊きたいことがあるの。狂暴、という言い方はかわいそうだけど、この際仕方がないわね。玲子ちゃんがあんなふうに狂暴になるのを、早苗さんやお祖母さん以外で見た人はいるのかな」

「さあ、どうだったでしょう……」早苗は首を傾けた。

「特に、あなたの恋人に対する玲子ちゃんの憎しみがはっきり出たような出来事を知っている人。どこかにいないかしら？　よく考えてみて」

早苗は顔をしかめて考え込んでいたが、はっと葉子を見た。「そういえば……」

「思い出した？」

「二週間ぐらい前ですけど、塾の事務の男性が来たことがあるんです。急いで手続きしなけりゃいけないことがあって。それであたしとその人が部屋にいる時、急に玲ちゃんが入ってきたんです。あの子、何か誤解したらしくて、突然持っていた傘でその人を突き刺そうとしたんです。あたしが、この人は仕事でみえてるのよと何度いっても、なかなか納得してくれなくて……あの時は困りました」

「その男性には何と説明を？」

「後で簡単に事情を説明しておきました。気を悪くした様子もなく、それは大変だねとおっしゃってくれましたけど」

「その男の人の名前、教えてくれるかしら」葉子はメモを用意した。

「ええ、構いませんけど……。福沢《ふくざわ》という人です」

女弁護士の質問に不安そうにしながら、早苗は答えた。

10

いつもの店に行くと、いつものカウンターで真一は待っていた。バンソウコウは取れているが、先日の爪痕がまだうっすらと残っている。

「お待たせ」彼の横に座ると、バーボンソーダを注文した。

「忙しそうじゃないか。事件は片付いたかい」

「片付けるのはこれから。簡単にはいきそうもないけどね。でも何とか真相は見えてきた」

「へえ。彼女の記憶が戻ったのか」

「そっちはだめ。警察もそうだけど、私だって頭が痛いところよ」

「多重人格のレイコと玲子か。片方の彼女が出てくれないわけだ」

「多重人格といっても、二つの人格が出たり入ったりするわけじゃない。レイプ事件以後は、おそらく狂暴なほうのレイコが身体を支配していたのだと思う。そして何年ぶりかで、元の人格が戻ったってことよ。狂暴なレイコがいつ登場するかは誰にもわからない。全く、厄介な話。いくら警察だって、人の脳の中には入っていけないからね」葉子はグラスの中の氷をからからと鳴らし、「ただ、前村哲也と玲子ちゃんの繋がりは見つかったわよ」と声を落としていった。

真一は彼女のほうに身体を捻った。

「やっぱり何らかの関係があったのか」

葉子は頷いた。

「でもちょっと複雑。例の市原早苗さんだけど、彼女の働いている塾の福沢幸雄《ゆきお》という事務員が、前村加津子の愛人らしいの。加津子は前村哲也が別居していた妻」

「おいおい、もう一度いってくれ」真一は苦笑した。

葉子は同じ内容をゆっくりと繰り返した。真一は指先を水で濡らし、カウンターテーブルの上に人物相関図を書いていった。

「なるほど、要するに前村の女房が浮気していたわけか。それ、たしかかい？」

「たぶん間違いない。顔馴染みになった刑事さんに調べてもらったから。加津子が福沢のマンションに出入りするところを見たそうよ」

「意外な展開だな。するとどういうことになるんだ」

「まず最初のきっかけは、福沢が早苗さんの部屋に行ったこと。それ自体は単なる仕事だったらしいけど――」

　葉子は早苗から聞いた話を真一にした。

「ふうん。そんなことがあったのか」

「で、ここからは私の推理」葉子はソーダを飲んで喉を潤した。「福沢はこの話を加津子にしたのよ。こんなふうにね。『加津子、これは使えるぜ』

「使える？」真一は顔をしかめてから、何かに気づいたように口を開いた。「おい、葉子。それじゃあ君は、あの殺人は……」

「仕組まれたものだと思う」

「動機は？」

「よくある話よ。加津子は夫の浮気が原因で別居することになったといってるけど、実際には逆だった。彼女のほうが今の亭主に飽きて、よそに男を作ったわけ。それをたぶん夫の哲也に知られたんじゃないかと思う。そうなると慰謝料を払わなきゃならないのは、むしろ加津子のほうってことになるわね」

「その慰謝料が惜しくて、亭主を殺すことを思いついたわけか」

「そうじゃないと思う。前村哲也は高収入だし、親から受け継いだ不動産がかなりある。浮気した妻からわずかな慰謝料を取ることより、さっさと離婚することを考えるんじゃないかな。一方加津子としては、離婚してくれるのはありがたいわけだけど、大きな心残りが一つある」

「夫の財産か」

「そういうこと。離婚前に夫を殺せば、遺産がそのまま手に入る。だから福沢は加津子にいったんじゃないかな。これは使えるってね」

真一は首を縦に数回振った。「大いに考えられる」

「加津子はまず哲也に連絡をとって、大至急話し合いたいことがあるから金曜日に部屋まで来てくれ、というようなことをいったのだと思う。その時、アパートの大体の位置と電話番号を教えて、着いたら近所の公衆電話から電話するように指示したのよ」

「ちょっと待ってくれ。そのアパートとは誰のアパートだ？　別居中とはいえ、哲也は加津子の住んでいるところぐらいは知ってたんじゃないのか」

「たぶんね。だからこんなふうにいったんじゃないかな。訳あって友人のアパートに転がりこんでいるから、そこまで来てほしい、とかね」

「ははあ、すると」真一は指を鳴らした。「近所の公衆電話というのは、例の酒屋の電話だな。あそこから電話をかけるようにいったわけだ」

「だと思う。だけど前村哲也は難色を示したと思う。なぜなら金曜日は大阪出張があるから。もちろん加津子はそれを知っていたから、わざわざその日を選んだのよ。彼女は前村哲也にいった。『どんなに夜遅くになってもいいから来てちょうだい。待ってるから』」

真一はにやりと笑って葉子を見た。

「いい台詞だね。君自身の言葉として聞きたいものだ」

「茶化さないで。一方加津子は玲子ちゃんにも接近していた。玲子ちゃんは相手が女性だと油断するから、自分は早苗さんの友人だとでも名乗れば、怪しまれなかったと思う。そして吹きこんだのよ。今日の真夜中に、早苗さんの結婚相手が来る。その男は来る前に酒屋から電話を入れるはずだって」

「玲子ちゃんは信用したんだろうな。だからこそ公衆電話の横で待ち続けていたんだ。そこへ前村がやってきた。電話をかける。その番号は紛れもなく、早苗さんの部屋のものだった」

葉子は酒を飲み干し、おかわりを注文した。

「じつに巧妙で卑劣な計画だと思わない？　自分たちは手を汚さず、玲子ちゃんの心の病を利用したってわけ。許せないよね。絶対に罰してやる」

「それは同感だが、証拠がないな」

「問題はそこよ」葉子は唇を嚙んだ。「玲子ちゃんの記憶に頼るしかない。加津子はおそらく直接彼女に会ったはずなの。そのことを思い出してくれれば、打開策が見つかると思うんだけど」

「でも、加津子をどういう罪に問える？　玲子ちゃんに嘘をついただけだぜ。それによって玲子ちゃんが前村を殺すかどうかはわからない。人の心を弄《もてあそ》んだのは事実でも、悪質な悪戯程度で済まされないか」

「だからどうしても証言が必要なの。もう一人のレイコのね。加津子がどんなふうに話したかによっては、殺人教唆の可能性が出てくる」

「すべては、もう一人のレイコ次第ってわけか」真一はグラスを傾けたが、口をつけずに葉子のほうを向いた。「前村を殺した後で、玲子ちゃんは元の人格を取り戻したってことだったね。やはり殺人行為そのものが、彼女自身にショックを与えたんだろうか」

「その点についても、おおよその見当はついてる。あの夜、早苗さんは本当の恋人とデートしていたんだけど、彼氏に送られてアパートに帰ってきたのが、時間的に考えてどうやら玲子ちゃんの犯行直後らしいのよ」

「えっ、どこかで鉢合わせしたというのかい」

「鉢合わせとまではいかなくても、玲子ちゃんが二人を目撃した可能性は高いと思う。

男女の様子を見れば、恋人同士かどうかなんてことはすぐにわかる。それで彼女は、自分がたった今殺した男が早苗さんの恋人でも何でもないことを知った。そのショックが彼女の精神にさらに影響を及ぼして、長年眠っていた人格を呼び覚ました——そういうことじゃないのかな」

真一は唸った。

「考えられる話だな。人間の頭脳は不可解だ」

「いずれにせよ、玲子ちゃんが罪に問われることはありえない。刑法三十九条が適用されるケース。犯行時に彼女の精神状態がふつうでなかったことは、多くの人が証言してくれるはずよ。仮に罰せられるとしても、それはもう一人のレイコのほうであって、今の玲子ちゃんじゃない。彼女を罰することは誰にもできない」

すると真一は思案顔でグラスを振った。からからと氷が鳴った。

「こういう場合、詐病を疑われることはないのかな」

「詐病？　玲子ちゃんが病気のふりをしているってこと？」

「多重人格の芝居をする者は少なくないと、以前精神科医から聞いたことがある」

葉子は頷いた。

「多重人格に限らず、逮捕されてから、精神障害者の芝居をする被疑者はいるわね。だからこそ精神鑑定をするわけだけど、彼女の場合はそれを考える必要はないと思う。だって彼女が別人格を示したのは、今から二年も前よ。その間、ずっと芝居を続けてたっていうの？　ありえないでしょう」

「それは……まあ、そうかな」真一は、どことなく釈然としない様子だ。

「何よ、煮えきらないわねえ」葉子がそういった時、傍らに置いたバッグの中でポケベルが鳴った。確かめてみると、表示されている番号は、つい先日刑事の今西から教わったものだった。

ちょっと失礼、といって席を外した。店内にある公衆電話から表示の番号にかけると、すぐに今西が出た。

「事態が急変しましてね。それで浅野先生にもお知らせしておこうと」ベテラン刑事は抑え気味の声でいった。「前村加津子が殺されました」

えっ、と思わず声をあげた。「いつ？　どこで？」

「今日の夕方、自宅のマンションで首を絞めて殺されているのが見つかりました。防犯カメラに例の福沢幸雄が映っていたので問い詰めたところ、あっさりと白状しました」

「どうしてまた……」

「加津子から別れ話を切りだされ、かっとなって殺したそうです。亭主の財産が転がり込んできそうなので、加津子としては、しばらくは哀れな未亡人を演じたほうがいいと考えたみたいですな」

話を聞いているうちに全身の力が抜けそうだった。何という愚かな連中だ。席に戻り、真一に伝えた。彼は椅子からずりおちるしぐさをした。

「馬鹿な話だな。せっかくの完全犯罪が台無しだ」

「その完全犯罪を暴いてやるつもりだったんだけどな。残念」葉子はラークの箱に手を伸ばした。煙草を一本抜き、口にくわえる。

真一がデュポンで火をつけてくれた。

「まあ、でもよかったじゃないか。福沢が自供してくれれば、玲子ちゃんは利用されただけだってことも明らかになる。君も仕事がやりやすいだろ」

「それはまあね。問題は福沢がどこまで本当のことを話すかだけど、そのあたりは警察をうまく使えば何とかなると思う。うーん、でも悔しいな。せっかく前代未聞の罪を法廷で暴けるっていうのに、被疑者が死亡とはね」葉子は勢いよく煙を吐いた。多重人格のレイコと玲子を前に裁判官たちがどんな判断を下すのか、今から楽しみだった。

真一がグラスを置いた。「なあ、詐病のことだけど」

葉子は苦笑した。「またその話?」

「まあ聞けよ。多重人格患者のふりをして、犯罪を行ったのはもう一人の人格だと主張するケースはよくあると思う。ではこういうのはどうだ。狂暴な性格の人間が、人を殺した後、穏やかな人間のふりをする。そして狂暴だったのは、別人格だと主張する」

「はあ?」葉子は恋人の顔を見返した。「それってつまり……」

「今の玲子ちゃんは、狂暴なレイコの芝居だとは考えられないか、といってるんだ」

葉子は指の間に煙草を挟んだまま、まさか、と呟いた。

真一は険しい目つきを続けた後、にっこりと表情を崩した。

「まさか、だよな。つまらないことを考えるのはよそう」

彼がグラスを近づけてきたので、葉子もグラスを手にし、かちんと合わせた。

その瞬間、病室で最後に玲子が見せた、微妙な笑みが蘇った。

再生魔術の女

1

赤ん坊は、白い肌着に包まれて眠っていた。ほんのりとピンク色をした頬を見て、根岸峰和《ねぎしみねかず》は水蜜桃を連想した。

「かわいいわあ、まるで天使みたい。ああ、もううれしくて、あたし頭がどうかなりそうよ。夢をみてるようよ」

根岸千鶴《ちづる》は馴れない手つきで赤ん坊を抱きながら歓喜の言葉を連発した。赤ん坊の容貌が期待以上だったことが、彼女を一層舞い上がらせているようだ。

「しっかりと育児の勉強をしてくださいね。新しいおかあさんがどんなふうに世話してくれるのか、赤ちゃんもきっと不安に思っているでしょうから」千鶴の様子を目を細めて眺めていた中尾章代《なかおあきよ》が、釘を刺すようにいった。

「ええ、それはもう。あたし、この子を健康に育てることを、すべてに優先させるつもりです」千鶴は力を込めていった。

中尾章代は苦笑した。

「まあまあ、あまり力むのもよくありませんよ。先が長いんですからね」

「そうさ、君がカリカリすると、却って赤ん坊によくないぜ」峰和もいった。

「だって」千鶴は赤ん坊に目を戻した。自然に笑みが漏れるのを我慢できないという感じだった。彼女は顔を上げて中尾章代を見ると、少しもじもじした。「あのう、それで今日はまだ何か手続きが残っているんでしょうか」一刻も早く赤ん坊を連れ帰りたいというのが見え見えだった。

「ええ、まだ少しお話が。でも、御主人が残っていただけるのなら、奥様は先にお帰りになられてもかまいませんけど」中尾章代はそういって峰和のほうを向いた。

千鶴が目を輝かせて峰和を見た。彼としては、彼女の期待に背くわけにはいかなかった。仕方なく、しかしその思いは顔には出さずにいった。「それなら僕が話を伺っておこう。君は先に帰ってなさい。やらなきゃいけないこともたくさんあるだろうし」

「そう？　じゃあ悪いけど、先に失礼させていただこうかな」そういいながら早くも赤ん坊を抱きしめたままでソファから腰を浮かせた。じっとしていられないらしい。

「なんだかあぶなっかしいな。落とすなよ」

「わかってるわよ。死んだってそんなことするもんですか。ねえ」

後の「ねえ」は、もちろん眠っている赤ん坊にいったものだった。

お抱えの運転手が運転するベンツで、千鶴と赤ん坊が去るのを、峰和は中尾章代と共に見送った。千鶴は赤ん坊を抱くのに夢中らしく、ほんの申し訳程度に彼等のほうを振り返っただけだった。

「奥様、あの赤ちゃんがとても気に入ったみたいでしたね」部屋に戻り、さっきと同じソファに腰掛けてから中尾章代がいった。ここは彼女の家だった。

「僕も気に入っていますよ。本当になんとお礼をいったらいいか」峰和は改めて彼女に頭を下げた。彼女は、いえと首を振った。

「喜んでいただければそれで……」そういうと中尾章代は金縁眼鏡の奥の目を峰和からそらし、斜め下に視線を落とした。

この痩せた中年婦人が、時折このように物思いにふけるような表情をするのを、峰和は一度ならず見ていた。こんな仕事をしているぐらいだから、赤ん坊に関する何か暗い過去を持っているのかもしれないと、彼は漠然と想像していた。あるいは止むなく我が子を手放さねばならなくなった若い母親に思いを馳せているのか。どちらにせよ、子育てについて説教じみたことをいわれたら嫌だなと彼は思った。だいたい中尾章代と二人きりで話すのは気が重かったのだ。初めて会った時から、なんとなく生理的に受け付けにくいものを感じている。特に、眼鏡の奥に光る、内面を見透かそうとでもするような目が苦手だった。

だが無論、彼はそれを決して顔には出さない。子供のできない自分たち夫婦のために、養子を見つけてきてくれた彼女には恩がある。おそらくこれからも付き合っていくことになるだろう。

峰和たちが中尾章代のことを知ったのは、半年ほど前だった。彼女から直接手紙をもらったのだ。自分は、この世に生を享けたが諸事情により実の親には育ててもらえない、かわいそうな赤ん坊の引き取り手を世話している者である。噂に聞いたところでは、あなたのところでも養子を探そうとしているようだが、一度自分に任せてはくれないか。手紙にはそう書いてあった。

なんとなく胡散臭い気がしたものの、千鶴が強い関心を示したので、中尾章代に会ってみることにした。その時初めてこの家に来たのだった。

赤ん坊たちの母親の大部分がティーンエイジャーであると中尾章代はいった。きちんとした知識がないままに性行為に及び、その結果妊娠したが、一人で悩んでいるうちに中絶の時期を逸したという少女が、今の日本には数多くいるということだった。それらの少女を助けるため、また小さな命を守るために、こういうことをしているのだと彼女は説明した。時には海外に養父母を見つけることもあるという。そうすれば、赤ん坊を産んだ少女の戸籍を綺麗にすることが容易らしいのだ。

いろいろな話を聞いた結果、峰和たちは中尾章代に頼むことにした。自分たちの力だけで養子を見つけることがいかに困難かは、それまでの経験で知っていた。

そしてそれから半年後、男の赤ちゃんがいるという話が入ってきたのだ。

2

「率直なところ、思ったよりも早く良い話があったので驚いているんです」長すぎる沈黙から逃れるために峰和はいった。「同じような悩みを抱えている夫婦は多くて、養子が欲しくても順番待ちだというような話を聞いていましたので」

中尾章代は峰和に顔を戻した。

「もちろん、赤ん坊を待っている御夫婦は、まだまだたくさんおられます。でも今回は特別に根岸さんのところへ話をお持ちしたのです」眼鏡の向こうで黒い目が光った。

「ありがとうございます」峰和は頭を下げながら、この女性への礼には、どれぐらい用意すればいいだろうと計算していた。この仕事は無報酬だというが、礼を期待していないということはあるまい。うちの経済状態を知っていて、かなりの金額が見込めそうだと思ったからこそ、「特別に」話を持ってきてくれたのだろう。彼はそう考えていた。

「ええと」彼は膝の上で両手をこすりあわせた。「それで話といいますのは？」まさか、ここでいきなり礼金の話をするわけじゃないだろうなと思いながら訊いた。

「はい」中尾章代は座り直し、背中をぴんと伸ばした。「じつは、もう一度是非確認しておきたいことがございましてね」

「といいますと？」

「赤ちゃんの両親となるための条件についてです」彼女はいった。「最初に五つあげさせていただきましたわね。覚えておられるかしら。赤ちゃんを愛してくださること。経済的余裕があること。家庭内に不和がないこと。二人共健在であること。それからあと一つございました」

「ええと、どちらにも犯罪歴がないこと、でしたね」答えてから、峰和はちょっと嫌な感じがした。最後の一つを彼自身にいわせたことが気にかかったのだ。「それが何か？」

「それらの点、大丈夫でございましょうね」

「もちろん大丈夫です。お約束します」峰和は声に力を込めた。

結構、とでもいうように彼女は頷いた。

「もし条件を満たしていないということでしたら、残念ですけど養子縁組は中止して、赤ちゃんは引き取らせていただきますよ」

「わかっています。で、我々がきちんと世話できるかどうかをチェックするために、正式な手続きまで試験期間を設けるということでしたね。でもそれはいつまでなんですか。いつになると、正式に養子縁組していただけるんですか」

「それはあなた方次第です。早ければ、一日で結論が出ることもあります」

「へえ、一日で？」そんなに短期間で何がわかるんだろうと思ったが、専門家がいうことなのだから間違いないのだろうなと峰和は了解した。「じゃあなんとか合格点をもらえるよう、がんばらねばなりませんね」愛想笑いをした。「あの、話というのは、それだけですか？」

「いえ、本題はこれからです」

中尾章代は座り直し、峰和の顔を直視した。一瞬刺すような目つきに思えて彼はどきりとした。しかし次の瞬間、彼女は温和な笑みを浮かべていた。

「根岸さん御夫妻は、不妊のことで病院に行かれたことがあるというお話でしたね」

「ええ、何度か」彼は答えた。「原因を調べるために、いろいろな先生に診てもらいました」

「原因はわかったんですか?」

「はい。結局、妻のほうに原因があったんです。卵巣機能に、生まれつき欠陥があるそうなんですね。詳しいことはわかりませんが」

診察結果が出た時には、落胆する千鶴を慰めながら、峰和は内心安堵していた。これで彼自身は千鶴の実家から不能の疑いをかけられずに済むと思ったからだ。根岸家に婿養子として入って七年、子供ができないことで、どれほど肩身の狭い思いをしてきたことか。

子供など特に欲しくもないというのが彼の本音だったが、後継ぎを作るのが自分の役目だということは痛いほどよくわかっていた。根岸家の婿養子に求められた条件は、健康で生殖機能が万全であること、これに尽きたのだ。だから特に優秀でもない彼にも、行き遅れの社長令嬢からその甘いマスクをパーティ会場で見初められたというだけの理由で、逆玉の輿に乗るという幸運が訪れたのだった。

「なんとか医学的な方法で解決しようと思われたことはないんですか。たとえば体外受精だとか」中尾章代が訊く。

峰和はかぶりを振った。

「検討したことはあるんです。でもそこまではやりませんでした。成功率が低いというし、女房もこわがりましてね」

「成功率が低いのは事実です。でも以前に比べると、ずいぶん技術が上がってきているんですよ」

「あ、そうなんですか」いいながら峰和は、中尾章代が普段は病院に勤めているのだということを思い出した。しかも産婦人科だ。こういうボランティアをするようになったのも、本職が大きく関わっているらしい。

「体外受精技術が進歩したおかげで、多くの夫婦が幸せを手にしておられます。もっとも問題も増えましたけれど。たとえば代理母のこととか」

「ああ、代理母。よく聞きますね」

「日本では考えにくいんですけど、外国では代理母になってくれる若い女性が、いくらでもいますからねえ」

「なるほど」相槌を打ちながら、この話題は一体どこへ向かっていくのかなと峰和は戸惑っていた。中尾章代は、一向に用件を切り出すふうでもない。それともこの話が何かに繋がっていくのだろうか。

「精液の冷凍保存技術も確立していますしね、子供の欲しい女性は、その気になれば、男性と性交渉に及ばなくても妊娠できるわけです」峰和の苛立ちには気づかない様子で、中尾章代は相変わらず淡々と語る。

「すごい時代になったものですよねえ」仕方なく峰和は頷いてみせた。

私も、と中尾章代はいい、一旦目を伏せてから改めて彼を見つめた。「もう少し若ければ、そういう方法を使ったかもしれません。もはや結婚願望などないんですけど、やっぱり子供が欲しくて。ずっと一人なものですから」

「ははあ……」

おかしなことをいいだしたものだなと峰和は思った。が、冗談をいったというわけでもなさそうだ。

「御家族はいらっしゃらないんですか」彼は訊いてみた。

「ええ。両親はずいぶん前に亡くなりました。この家は両親のものなんです」そういって周囲を見回してから、再び峰和の顔に視線を落ち着けた。「じつは妹が一人いたんです。十歳も年下の妹がね」

「その方はどちらかに嫁がれたんですか」大して興味もなかったが、話の流れから尋ねるしかなかった。

彼女は静かにいった。「死にました。七年前に」

「あっ……それはどうも」嫌な話題に突入してしまったなと峰和は心の中で舌打ちした。

よりによってこんな日に、陰気な昔話などしなくてもよさそうなものだ。

なんとか別の話題に移ろうと、彼が背広の内ポケットから煙草を取り出した時、まるで先回りするように中尾章代はいった。

「妹は殺されたんですよ。杉並区のアパートで」

「えっ……」

「首を絞められましてね。あの子が使っていたエルメスのスカーフで」

「エルメス……」

峰和は、指に挟んでいた煙草を落としそうになるのを、辛うじてくいとめた。

3

まさか、と思った。

あの女のことをいっているわけではあるまい。名字が違う。あの女の名字はたしか、神崎《かんざき》といった。神崎ユミ。だが名字のほうも源氏名だったのかもしれない。

それに、と峰和は腋の下に汗が流れていくのを感じながら考える。七年前、杉並のアパート、エルメスのスカーフ、どれもこれも符合しているではないか。

「かわいそうな子でした」中尾章代は少し声を詰まらせた。「早くに両親を亡くしていたものですから、高校を卒業するとすぐに働きに出て、いつかは商売を始めるんだとかいって、コツコツとお金を貯めていました。そのうちに夜の仕事にもつくようになったんです。身体を壊すから無理しないでといっても、ちっとも聞いてくれなくて。貯金の額を私に自慢するのが、妹の楽しみの一つでした。それがあんなことになって……」

「犯人は捕まったのですか」峰和は訊いた。

彼女は首を振った。

「捕まりませんでした。警察では、ずいぶん長い間捜査してくれたみたいですけど」

「それは、あの、ええと」彼は煙草にライターで火をつけようとした。一度ではうまくいかず、三回目に火がついた。「強盗か何かだったのですか」

「警察では、そう見ていたようです」テーブルの上の灰皿を、彼のほうに寄せながら彼女は答えた。「部屋が荒らされていて、宝石類や貯金通帳がなくなっていました。それから、玄関のドアには鍵がかかっていて、ベランダ側の窓が開いていました。犯人はたぶんベランダから忍び込んだのだろうということでした。妹の部屋は二階でしたけど、一階のベランダの手すりに上れば、たやすくよじ登れるんです」

「それはどうもお気の毒なことでしたね」声が震えそうになるのをこらえて彼はいった。

似過ぎていると思った。状況がまるでそっくりだ。間違いない、この女は『あの事件』の話をしている。

「妹は暴行されておりました」事務的内容を伝えるように彼女はさらりといった。「犯人の精液が生々しく妹の体内に残っていたのです。それが警察の手にした最大の手がかりでもありました」

「ははあ……」峰和は煙草を吸い、煙を吐いた。息が荒くなっているのがわかる。

偶然だとは考えられなかった。この女の妹が、たまたま神崎ユミだったとは思えない。計画的だ、と彼は思った。この女は、はじめからこれが狙いでおれに近づいたのだ。

様々な考えが峰和の頭の中で渦巻いていた。しかしそれらはどんなふうにも収束してはくれなかった。ただひたすら混乱が深まるだけだ。

「当初犯人は強盗ではなく強姦を目的に忍び込んだのだろうというのが、担当の刑事さんの話でした」中尾章代はいった。「とても暑い夜でした。妹の部屋にはエアコンがついておらず、おそらく彼女は窓を開けて眠っていたんじゃないかと刑事さんはいいました。犯人は開放された窓を見て強姦を決意し、実行した。ところが騒がれてはまずいと思い、絞殺した後、金目のものを奪って逃げた。そのように見ておられたようです」

そう、あれは暑い夜だった。

峰和の脳裏に、汗にまみれた神崎ユミの顔が浮かぶ。虚ろな目で彼を見つめて彼女はいった。別れない、あなたとは絶対に――。

「するとつまり」彼は、ばりばりに乾いた唇を舐め、中尾章代にいった。「犯人は、その夜たまたまアパートの前を通りかかった男ということになりますね。一種の通り魔とでもいいますか」

「警察でも、そういう意見が支配的だったようです。もっとも、全くの通りすがりとも思えないということでした。犯人は何らかの根拠があって、そこに若い娘が住んでいることを知っていたのではないか、と担当の刑事さんなんかはおっしゃってました」

「なるほど。しかしいずれにせよ、顔見知りの犯行ではなかったわけだ」

「警察の見解はそうでした。でも」中尾章代は眼鏡の位置をなおした。レンズが蛍光灯の光を反射した。「私は、そうは思いませんでした」

「ほう」峰和は煙草を吸った。「なぜですか」

「一言でいえば、姉の勘ですわ」

「勘……ですか」

「じつは死体を発見したのは私なんです。あの日の翌日、私たちは新潟へ墓参りに行く予定をしておりました。お盆の帰省ラッシュで道路が混むことを予想して、早朝に出発するつもりでした。それで私は車で妹のアパートへ迎えに行ったのです。着いたのは朝の五時頃でした」

明日新潟へ行くのよ——あの夜ユミがそういっていたのを峰和は思い出した。姉と一緒に。そうだ。たしかに姉と一緒にといっていた。

「玄関のチャイムを何度鳴らしても返事がないので、おかしいなと思い、持っていた合鍵で開けました。ドアを開けた途端に、部屋の異状に気づき、ベッドの上の妹の姿を見た時には、気を失いそうになりました」中尾章代は無表情でいった。だが膝の上で軽く組まれた指は、細かく震え始めていた。「気が動転したことと、あまりの悲しみに、警察に電話するのも忘れておりました。私は泣き叫びました。でもそうしながらも私は、ある確信を抱いていたのです。この子を殺したのは親しい男に違いない、と。妹の身体からは香水の匂いがしていました。あの日妹は店には出ておらず、ずっと部屋にいたはずでした。そして店に出る時以外は、妹はめったに香水などつけなかったのです」

香水——。

ユミがつけていた香水の匂いを峰和は覚えている。彼と会う時、彼女はいつも同じ香りを発していた。あの夜もそうだったかもしれない。特別に意識はしなかったが。

「いやしかし」いいかけて彼は咳を一つした。声がかすれていたのだ。「しかしですね、それだけで断定するのは危険じゃないですか。ちょっとした気紛れで、その夜にかぎって眠る前に香水をちょっとふりかけてみた、なんてこともあるでしょう」

「刑事さんも、そのようなことをおっしゃっておりました。でも私は納得できなかったのです。妹と交際していた男性を調べてくれといいました。刑事さんは、もちろん交友関係はすべてあたるといってくださいました。実際、そのようにしてくださったようです。妹が働いていた店を中心に、徹底的に聞き込みがされました。けれどもとうとう、妹にとっての特別な男性というのは見つかりませんでした。余程うまく隠していたのでしょう」

「隠していたのではなく、最初からそんな男などいなかったのですよ。きっとそうです」

だが峰和がいい終わる前に中尾章代はかぶりを振り始めていた。

「妹は、たとえどんなに暑くても、窓を開けたままで眠るようなことはしません。エアコンはなくても、扇風機があったのです。犯人は玄関から入ったのです。妹に迎えられて。その時には、まさか自分が殺されることになるとは思ってもみなかった彼女は、とびきりの笑顔を相手に向けていたことでしょう」

今晩は。遅かったわね。ごめんなさいね、急に呼び出したりして。とても大事な話があったものだから。ええ、そう。今夜でなきゃだめだったの。さっきも電話でいったでしょ。明日の朝早くね、姉と一緒に新潟に行くの。お墓参り。お盆だから。でね、その前にはっきりさせておきたくて。ええと、ビールがいい？　だめ？　あっそうか。今夜は泊まっていってもらうわけにはいかないもんね。じゃ、コーヒーをいれるね——。

峰和を迎え入れながら、ユミがしゃべっていた言葉の一つ一つを彼は思い出した。とびきりの笑顔？　たしかにそうだったかもしれないと思った。峰和と会う時、ユミが自分をできるだけ良い女に見せようと背伸びしていたことに、彼は気づいていた。

「でも玄関には鍵がかかっていたし、ベランダの窓は開いていたんでしょう？」

「そんなもの、偽装すれば簡単です。妹と特別な関係にあった男なら、合鍵ぐらいは持っていたかもしれません」中尾章代は即座に答えた。

彼女の推測は的中していた。峰和は合鍵を持っていたのだ。強盗殺人に見せかけるためにベランダの窓を開放した。そして彼自身は玄関のドアから逃走した。無論、鍵をかけた。あの合鍵は、翌日近くの用水路に捨てた。

「部屋が荒らされていたのも、金目のものが盗まれていたのも、偽装だと思います」追い討ちをかけるように彼女はいった。

あの夜の光景が峰和の脳裏に蘇る。一刻も早く立ち去りたいという衝動と戦いながら、彼は考えうるかぎりの工作を行った。ユミの下着やネグリジェを引き裂き、侵入者による暴行を強調した。靴を履き、土足で歩き回った。彼女がどこに貴重品をしまっているかは熟知していたが、わざと無関係な引き出しをぶちまけたりもした。そして最後に、素手で触ったと思うところは布でこすった。

「何か男の存在を感じさせるものが部屋にあったのですか。たとえば歯ブラシとか、シェーバーだとか」

そういったものは、すべてあの時に回収したはずだ。元々あの部屋には、彼の生活備品などそれほど多くは置いていなかった。

「そういうものはありませんでした。でも、妹の過去にその痕跡が残っておりました」

「過去？」

「少し前に妹は中絶手術を受けていたのです」

4

峰和は黙りこんだ。

彼の子供だった。妊娠を知らされた時にはだまし討ちに遭ったような気分だった。大丈夫よというユミの言葉を信じ、コンドームをつけないことが多かったからだ。

産みたいというユミを説得し、中絶させるのにどれだけ苦労したことか。いずれは結婚してやるから今は産まないでくれと、その場しのぎの嘘までついた。本当は、あの時に何とかして別れるべきだったのだ、と彼は改めて後悔する。下手に騒がれたらまずいと思い、ずるずると付き合いを続けた。それが間違いのもとだった。

「仮にそうだとしても」彼はいった。「その相手の男性と、ずっと交際を続けていたとはかぎらないでしょう。殺された時には、別れていたかもしれない」

「いいえ、付き合っていたはずです」中尾章代は低い声でいった。「そうしておそらく妹は、あの翌日そのことを私に教えてくれるつもりだったのです」

「どういうことですか？」

「新潟行きを決めた時、あの子が私にいったのです。行く前に、いいことを教えてあげられるかもしれない、と。その時はあまり気に留めず、迂闊なことに事件直後も思い出しませんでしたが、後から考えてみると、あれは結婚のことを示唆したのだと思えるのです。あの夜妹は、相手の男性を部屋に招き、結婚のことを正式に決めておこうとしたのではないでしょうか。妹は、相手も自分のことを愛してくれていて、結婚してくれると信じていたのです」中尾章代はここで大きく胸を上下させた。気持ちと呼吸を整えようとしているようだった。峰和を見つめ、言葉を続けた。「でも相手は、妹のことを愛してくれてはいなかった。結婚のことなど考えてもいなかったのです。そんな話をいきなり持ち出されて、その男はたぶん大いにうろたえたことでしょう」

峰和は唾を飲み込もうとした。が、口の中に水分はなかった。

大いにうろたえた——まさにそのとおりだった。

性交渉を終えた後で、ユミはいった。これからのことを決めておきたいんだけど、と。これからのことって、と峰和は訊いた。彼女は答えた。あたしたちの将来よ。貯金もできたし、そろそろ身を固めてもいいと思うの。じつはねえ、朝早く姉が来るんだけど、あなたのことを話そうと思うのよ。いいでしょう?

峰和としては、まさに不意をつかれた思いだった。

「しかしですね」彼は中尾章代にいった。「もしあなたのおっしゃるとおりだったとしても、だからといってその男が妹さんを殺すなんてことはないでしょう。たかが結婚を迫られた程度のことで」

「私もそう考えております。た」彼女は頷いた。「でももしその男に、ほかに結婚すべき相手がいたらどうでしょう。特にその結婚が、彼にとって人生の勝利を得る鍵であった場合は、妹は邪魔者以外の何者でもないのではありませんか」

峰和は口を閉じたまま、中尾章代を睨んだ。返すべき言葉が頭に浮かばない。

ここで彼女は小さく吐息をついた。

「じつをいいますとね、その可能性に思い当たったのは、ある男性の存在を知ったからなんです」

「ある男性……」

「つい最近のことです。妹の遺品を整理しておりました時に、姓名判断の本が出てきましてね。何気なくぱらぱらとめくっているうちに、頁の余白に名前が書いてあるのを見つけたんです。その名前は奇妙なものでした。下の名前は妹のものなんですけど、名字が違っていました。妹の名前はユミコといいます。射る弓に子と書きます。そこには本《ほん》郷《ごう》弓子とありました」

足元が抜け落ちるような衝撃を峰和は感じた。顔面から血が引いていくのがわかる。指先が凍りつきそうなほど冷たくなった。耳鳴りがする。身体が震える。

「相手の男性の名字が本郷だったのだと思います。それで妹は、結婚して自分の名字がそうなった時に運勢がどう変わるか、本で調べていたのでしょう。おそらく胸いっぱいに夢を膨らませて」彼女の目は充血を始めていた。「私はこの名字に相当する人物を探しました。あの頃に遡って。警察には届けませんでした。時間が経ち過ぎており、積極的に捜査してくれるとは思えませんでした。しかもこの程度のことは、殺人の証拠にはならないでしょう」赤い目で峰和を見据えた。「やがて私は一人の男性をつきとめたのです。妹が働いていた店に、本郷という人物が時折顔を出していたということでした。その人物は現在では、某中堅企業の社長令嬢の婿養子におさまり、根岸という名字にかわっておりました。逆玉の輿だと噂されてもいるようです。結婚したのは七年前。なんと七年前だったのです。あの子が殺されたのが七年前。偶然でしょうか。たまたまでしょうか。夢の地位を得るため、その人物が妹を殺したと考えるのは、突飛な想像でしょうか。私は複数の興信所に依頼し、その根岸という人間について徹底的に調べました。学歴、出身地、趣味、嗜好、女性の好みにいたるまでです。それらの調査結果を読むうち、私は妹と交わしたいくつかの印象的な会話を思い出しました。あの頃妹が行ってみたいといっていた場所は、その人物の故郷であり、妹がある日突然関心を示したジャズ演奏家は、その人物が好んで聞くものでした。ほかにも符合することは数多くあります。この人物が妹と無関係であったはずはないと私は思いました。さらに決定的なことがもう一つ。その人物の血液型はＡＢ型でした。これは犯人が残した精液と一致します」

がちがちと口の中で音がするのを峰和は聞いていた。奥歯が当たる音だ。全身から汗が吹き出していた。

「証拠は……」辛うじて声が出た。「証拠はそれだけですか。結局、血液型だけですか。それだけでは犯人とは、い……いえないんじゃないかな」

「警察が逮捕することは不可能でしょうね」そういって彼女は頷いた。「でも数年すれば、誰の目にも明らかになると思いますわ」

「数年すれば？　どういうことです」

「一年前に、ある実験を思いついたんです」そういった時、中尾章代の唇が妙な具合に曲がった。かすかに笑ったのだとわかった時、峰和は悪寒を覚えた。彼女は続けた。「その頃はまだ犯人の目星が全くついていませんでした。なんとかしなければと思っていた私は、あれを使うことにしました」

「あれ？」

「犯人の精液です」何でもないことのように彼女はいった。「妹の死体を見つけた時、じつは私、犯人の精液を採取しておいたんです。警察にとって唯一の手がかりでしたけど、それは私にとっても同様でした。だから私の分を確保しておこうと思ったのです。精液さえ保存しておけば、すぐには犯人が捕まらなくても、きっといつか役に立つと信じていました。私の病院では、精液を冷凍保存する設備があるんです。それを使い、保存しました。来るべき日のために」

「精液を……」あれは回収できなかった、と峰和は胸の中で呟いた。しかしあんなものをどうする気だ？「それをどうしたのですか」

「もし容疑者が特定できれば、今はＤＮＡ鑑定という方法があります。でも精液から容疑者を特定することはできません。ただし子供を作ることはできます」

「えっ」峰和は声がひっくり返った。

5

「遠心分離器を使えば、男の子と限定することも可能です。問題は卵子ですが、不本意ながら私のものを使うことにしました。結婚は諦めておりますが、女性としての機能はまだ残っておりましたので。そうやって生まれた男の子は、犯人に似ているでしょう。七年前に妹の周りにいた男性の顔と比較すれば、誰が父親なのかは一目瞭然のはずです」

「まさか、そんな」彼はぶるぶると顔を振った。「そんなことができるはずがない」

中尾章代は顔を少し斜めに傾けた。

「なぜできないとおっしゃるのかがわかりません。凍結保存された精液で女性が妊娠できることや、体外受精技術が向上したこと、代理母になってくれる女性が現在ではたくさんいることは、さっきお話ししたじゃないですか。そして私はうちの病院において、そういうことが極秘で行える立場でもあるのです」

「しかし、しかし」だらだらと額から脂汗が流れた。彼はそれをぬぐいもせず、中尾章代を睨んだ。「そんなふうにして生まれた子供を、誰がどうやって育てるんですか」

「引き取ってくれる夫婦なら、いくらでもいますよ。そのことはあなた方もよく御存じでしょう？」

ぐっと詰まって声が出せなかった。峰和は拳を握りしめた。

「そうして無事育ててもらえれば、犯人の目星をつけるという私の目的が果たせるというわけです。気の長い計画ですが、その時点ではほかに道が思いつかなかったのですから仕方がありません。ところが代理母を雇い、妊娠させて数か月してから、私は根岸という人物を見つけだしました。皮肉な結果といわざるをえませんわね。もう子供なんかを作る必要はなくなったのです」

ひゅうひゅうと喉を鳴らして峰和は呼吸した。その息が、何度目かに止まった。ある不吉な考えが彼の胸中を支配した。

「まさか、その子供というのが……」

「私は根岸夫妻が養子を探していることも興信所からの報告で知りました。その時、天啓の如く、じつに素晴らしい考えが閃きました。私は根岸夫妻に近づきました。私はかつて結婚しており、名字が妹とは違っているので、根岸氏は何も気づかないようでした」

「あんた……あんたは……あんたは」峰和は喘ぎながら中尾章代を指差した。指先もぶるぶると震えていた。「あんたは狂っている」

「やがて代理母が赤ちゃんを産みました。犯人の子供です。犯人と私との子供です。私はその子を犯人に返してあげることにしました。根岸家に電話すると、夫妻は喜んでやってきました。その赤ちゃんを引き取るといいました。根岸千鶴さんはこれから、殺人犯の子供を育てるのです。彼女の夫が人殺しをした時に作った子供を」

「馬鹿なことを」峰和はソファから立ち上がった。足がよろけた。よろけたまま出口のドアに向かった。中尾章代のほうを振り返った。「おれは犯人なんかじゃない。人を殺してなんかいない」さらに喚く。「あんな赤ん坊、返してやる」

すると彼女も彼を見つめたまま、すっと立った。そして一歩踏み出す。それと同時に峰和は一歩下がった。彼女は呪いのこもった声でいった。

「ならばあなたの奥さんに、そういってください。殺人犯の子供など育てたくないと奥さんもいうでしょう。でも奥さんはあなたに何の疑いも抱かないかしら？　子供を返す前に、子供とあなたの親子関係をたしかめようとするんじゃないかしら。現代医学を使えば、百パーセント近い正確さで、それを調べることができるわ」

峰和は無意識に自分のこめかみに両手を当てていた。激しい頭痛が彼を襲っている。

「もしあなたが犯人なら」彼女はいった。「あの子を育てるがいい。自分の子なんだもの、愛せるはずよ。そうして成長し、日を追うごとにあなたに似てくる様子を目のあたりにすればいい。養子だと知らない人はいってくれるでしょうよ。まあ、お父さんにそっくりねって。でも養子だと思っている人はどうかしらね。奥さんはどう思うかしら。あなたは何とか誤魔化そうとする。一緒に生活していれば似るものなんだよ、とでもいうんでしょうね。だけどいつまでそんな誤魔化しが通用するかしら」

「やめてくれ」彼は喚いた。「もうやめてくれ」

「何年も何年も、そうやって苦しみ続けるのよ。終わりはないわ。永遠によ。だってあの子はあなたの子で、あなたの奥さんはあの子をとても気に入ったんですもの」

獣のような叫び声をあげると同時に、彼は部屋を飛び出した。廊下を走り、靴を履くのももどかしく道路に出た。ふらふらと歩いた。

あの女が悪い、何もかもユミが悪いんだ。

おれのことは忘れてくれ、悪いけど。こういった途端、それまでの甘えたような表情が一変した。なによ、それ。なにいいだすのよ。いずれは一緒になるっていったじゃない。だから我慢して子供も堕ろしたのに。あなた、まさかあたしを騙してたんじゃあ。違うって何が違うのよ。正直にいってよ。あっ、じゃああの噂は本当なのね。どこやらの売れ残ってる社長令嬢と結婚するっていうのは。わああ、本当なんだ。わああ、やっぱり騙されてたんだ。

泣きだしたユミは峰和の身体にしがみついてきた。手足をがっちりと固め、彼が引き離そうとしても動かなかった。

別れないわ、あなたとは絶対にぜったいに、死んでも別れない。もし捨てる気なら、何もかもばらしてやる。そのオールドミスの社長令嬢にばらしてやる。

馬鹿、何をいうんだ。離せよ。いやよ離さない。朝になれば姉が来る。こうして抱き合ってるところを見てもらうの。あたし、紹介するわ。この人があたしの恋人なのよ。お姉ちゃん、見て。こんなにあたし幸せよって。

気がつくと峰和はエルメスのスカーフを手にし、彼女の首に回していた。無我夢中で絞める。死ねよ、死ねよ、死んでくれ――。

「悪いのはあの女だ。おれは悪くない、おれは悪くない」

峰和はタクシーを拾い、自宅を目指していた。震えが止まらなかった。「どうしたんですか、顔色がよくないっすよ」運転手から尋ねられたが、彼は答えなかった。

家に帰ると、彼は妻を求めて居間へ入っていった。千鶴が赤ん坊を抱いて駆け寄ってきた。「遅かったじゃない。何してたの。坊やが目を覚ましてね、さっきからずっと御機嫌なの。ほうら坊や、あなたのパパよ」

赤ん坊が峰和を見て笑った。

6

根岸峰和が飛び降り自殺した記事を読み、中尾章代は複雑な思いを味わっていた。

この程度の結果を期待したわけではなかった。彼を苦しめるのはこれからだと思っていた。あの赤ん坊を送りこんだのは、その布石にすぎなかったのだ。彼女は自分が復讐すべき相手の、精神力の意外な弱さに、率直に驚いていた。あんな男に妹は殺されたのかと思うと、情けなさが倍加した。

「仕方ないわね。これで納得してちょうだい」彼女は机の上の写真にいった。弓子の笑顔がそこにあった。

章代は身仕度した。通夜に出席するためだった。ついでに赤ん坊を引き取ってこなくてはと思った。峰和の死により、「両親共に健在であること」という条件を満たせなくなったからだ。彼が死なくても、いずれ赤ん坊は引き取るつもりだった。いざとなれば自分で育てる覚悟さえしていた。

あの赤ん坊は、ある女子高生が、行きずりの男との間に作った子供だった。根岸峰和とは何の関係もない。

さよなら『お父さん』

テレビではナイター中継をしていた。巨人と阪神の十回戦だ。阪神のチャンスなので、杉本平介《すぎもとへいすけ》は茶漬けの茶碗を口元に運んだまま、画面を凝視した。阪神は相変わらず負けていたが、ここで四番打者がヒットを打てば、局面はぐっと有利になるはずだった。平介はランニングシャツにトランクスという格好だったが、興奮のあまり汗をかいていた。

彼が一人で夕食をとるのは、今日で三日目になっていた。妻の暢子《ようこ》が娘の加奈江《かなえ》を連れて、九州の実家に帰っているからだった。二人は今夜帰ることになっていた。そろそろ空港に着く頃だ。空港からはタクシーで帰ってきなさいといってある。

巨人のピッチャーが制球に苦労し、カウントがツースリーになった。平介は胡座《あぐら》をかいたまま身を乗り出した。どうか一発打ってくれ、と心に念じた。だが彼の願いは届かず、四番打者はとんでもないくそボールに手を出して空振りした。彼は舌打ちをし、茶漬けをかきこんだ。

ちょうどその時、ピロンピロンという音がテレビから聞こえた。何か事件が起きて速報が入ったらしい。しかし平介はすぐには目を向けなかった。阪神の四番打者のふがいなさに対する怒りがおさまっていなかった。

再びピロンピロンという音がした。ここでようやく彼はテレビに目を向けた、画面の上端にテロップが出ていた。

今夜八時二十分頃、福岡発の新世界航空931便が××空港で着陸に失敗、炎上した模様。生存者は不明――。

ぼんやりと文字を追っていた平介の目が、みるみる血走った。彼はあわてて立ち上がろうとし、卓袱台をひっくり返した。食べかけの茶漬けが畳にぶちまけられた。

生存者はいないだろう、というのが救助に当たった消防隊員たちの率直な感想だった。機体は真っ二つに割れ、炎に覆われていた。そして彼等の直感の正しさを証明するように、無残な死体が次々と運びだされた。

「まだ生きてるぞ」絶望感が漂う中、全員をはっとさせるような声が上がった。救い出されたのは二人の乗客だった。少女と大人の女だった。奇跡的に二人とも、目立って大きな外傷はないようだった。しかしどちらも意識がなかった。

二人はすぐに病院に運ばれた。医師や看護婦たちが全力で治療に当たった。なんとか助けたい、そう思う反面、彼等の殆どがたぶんもうだめだろうと諦めかけていた。外傷は少ないが、どちらも頸椎から脳にかけて損傷を受けていた。脳波が乱れていた。特に女の子のほうは絶望的と思われた。

運びこまれて三十分後、まず女の子の脳波が停止した。その横では大人の女性に対する治療が懸命に続けられたが、こちらも望みは少なかった。

「呼吸が止まりました」

「心臓が今……停止しました」年配の看護婦が静かにいった。

数秒間、集中治療室を沈黙が支配した。

「まだこれから患者が続々と運ばれてくる。気を落としてる場合じゃない」医師の一人がいった。皆が弱々しく頷く。

その時だった。若い看護婦が小さく叫んだ。「先生、動いてますっ」

全員が彼女を注視した。その看護婦は少女に取り付けられていた脳波計を指してもう一度いった。「女の子の脳波が出てるんです」

暢子の葬儀は恐ろしく派手な雰囲気の中で行われた。テレビ局をはじめマスコミ関係者が大勢取材に訪れたからだった。平介はどこへ行くにも、何をするにもストロボを浴びねばならなかった。もっともそんなことを鬱陶しいと感じる気力は、ここ二、三日ですっかりなくしていた。

葬儀が終わってからも記者たちに取り囲まれた。

「奥様の御葬儀を終えられて、現在どのようなお気持ちですか」

「新世界航空の社長の談話についてはどのように受け止められましたか」

「全国から励ましのお便りが届いているそうですが、その方々に何か一言どうぞ」

じつのところ彼等の質問にさほどのバリエーションはなかった。だから何も考えず、同じような返答を繰り返しておけば事足りるのだった。これはこれで彼等なりの配慮なのかなと考えたりした。

ただ次の質問については、平介はいつも返事に困る。

「加奈江ちゃんには、お母さんのことをどのようにお話しになるおつもりでしょうか」

仕方なく彼は、「これから考えます」と答えるのだった。

その夜、平介は加奈江が入院している病院へ行った。生存者がわずか五名ということで、マスコミは加奈江のこともなんとか取材しようとする。しかし精神的に落ち着くまで待ってくれといってあった。

病室には担当の看護婦がいたが、平介が現れると部屋を出ていった。加奈江はベッドで眠っていた。頭の包帯が痛々しいが、顔に傷がなかったのが幸いだった。加奈江は小学校五年生だった。これからまだまだ楽しいことが待っていたはずだ。今度のことによるショックを、どうすれば取り除いてやれるだろうと平介は思った。加奈江は意識は戻っていたが、まだ口がきけなかった。頷くことと、かぶりを振ることで意思を伝えるのみだ。

加奈江が助かったことについては、平介は神に感謝していた。だが同時に、暢子を奪われたことに対する怒りは消えなかった。その怒りを誰にぶつければいいのかわからなかった。加奈江を助けたのも、暢子を死なせたのも神なら、神とは一体なんだろうと思った。

平介は妻を愛していた。最近は少し太り気味で、小皺も目立つようになっていたが、愛敬のある顔が好きだった。おしゃべりで、強引で、少しも亭主をたててくれない妻だったが、ざっくばらんな性格は一緒にいて楽しかった。頭の良い女でもあった。加奈江にとっても、いい母親だと思っていた。

加奈江の寝顔を見ていると、暢子のことが次から次と頭に蘇った。平介はしくしくと泣き始めた。じつは彼は毎晩布団の中で泣いているのだった。今日はいつもより泣きだすのが少し早いにすぎなかった。礼服のポケットからよれよれのハンカチを出し、目を押さえた。「暢子、ようこ、暢子」乾きかけていたハンカチが、すぐにぐしょ濡れになった。

声がしたのはその時だった。「あなた……」

平介はぎくりとして顔を上げ、部屋のドアを見た。誰かが入ってきたのかと思ったのだ。しかしドアは閉じられたままだった。空耳かなと思った時、再び声が聞こえた。

「あなた、ここよ」

平介は飛び上がらんばかりに驚いた。彼を呼んでいたのは加奈江だった。たった今まで眠っていたはずの娘が、今はベッドから父親を見上げていた。

「加奈江、ああ加奈江。声が出るんだな。ああ、よかった。ああよかった」平介は椅子から立ち上がると、涙でぐしゃぐしゃの顔をさらに崩した。それから一刻も早く医者を呼ぶべきだと思い、あたふたと入り口に向かいかけた。

「待って、あなた」加奈江が弱々しくいった。平介はドアノブを摑んだまま振り返った。気持ちが高揚している彼は、娘の口調がおかしいことにまだ気づいていなかった。そんな彼に加奈江はいった。「こっちへ来て。あたしの話を聞いて」

「そりゃあ聞くよ。でもその前に先生を」

「人を呼んじゃだめ。とにかくこっちへ来て」訴えるように加奈江はいった。

平介は少し迷ったが、彼女のいうとおりにしてやることにした。甘えているんだろうと思った。「さあ、そばに来てあげたよ。何でも話しなさい」

加奈江はじっと彼の顔を見つめた。その目を見て平介は、ふと奇妙な感覚にとらわれた。おかしな目つきをするなあと思った。子供らしくない目だった。

「あなた、あたしのいうことを信じてくれる？」

「ああ、何でも信じるよ」答えながら、ようやく平介は疑問を感じた。あなた？

加奈江は彼の目を見たままいった。「あたし、加奈江じゃないのよ」

「えっ？」平介は表情を止めた。

「加奈江じゃないのよ。わからない？」

平介は笑いを消した。「何を馬鹿なことをいってるんだ」

「冗談いってるんじゃないの。本当にあたし、加奈江じゃないのよ。あなたならわかるでしょ。あたしよ。暢子なのよ」

「ようこ？」

「そうよ。あたしなのよ」加奈江は泣き笑いのような表情をした。

平介は再び立ち上がった。そしてふらふらと入り口に向かった。彼は医者を呼ぶつもりだった。娘の気が変になったと思い込んでいた。

「行かないで。人を呼ばないで。あたしの話を聞いてちょうだい。本当にあたし、暢子なのよ。信じられないのはわかるし、あたしだって信じられないけど、事実なのよ」加奈江は泣いていた。いや、加奈江の姿をした女は泣いていた。

そんな馬鹿な、と平介は思った。こんなことがあるはずがない。彼は激しく動揺していた。彼女のいうことが信じられないからではなかった。彼女の口調が、たしかに妻のものだったからだ。そう思ってみると、加奈江の周りに漂う雰囲気は小学生のものではなかった。平介にはそれがよくわかった。

「先月の俺の給料、いくらだったか覚えてるか」彼は訊いた。

「基本給二十九万七千円に残業手当と出張手当がついて、三十二万八千二百十五円だったわ。でも天引きされて手取りは二十七万そこそこだったわね」涙声で加奈江はいった。

「厚生年金が高すぎるのよね」

平介は呆然とし、しばらく立ち尽くした。彼女のいった数字に誤りはなかった。いうまでもなくそんな数字を娘が知っているはずはなかった。

「本当に暢子なのか」平介はいった。声が震えていた。

彼女はこっくりと頷いた。

自分の身に起きた事態を暢子が理解したのは、病室に運ばれてしばらくしてからだったという。それまでは、なぜ皆が自分のことを加奈江ちゃんと呼ぶのかわからず戸惑っていたらしい。事情を知ってからも、悪い夢を見ているか、さもなくば自分の頭がおかしくなったに違いないと思い、早く正常に戻らねばと焦っていたそうだ。だが今日平介が傍らで泣いているのを見ていると、これは夢でも何でもなく事実なのだと受け止められるようになったという。

「すると、死んだのは加奈江のほうなのか」平介は暢子に訊いた。彼女は寝たまま顎を引いた。「そうか……」平介は首を折った。「加奈江が死んだのか」

暢子が泣きだした。「ごめんなさいね。あたしなんかより、加奈江が助かればよかったのに」

「なにいってるんだ。おまえだけでも助かってよかったじゃないか。おまえだけでも……」平介は涙で声を詰まらせた。加奈江の生きている顔を見ながら、この子はじつは死んでいるのだと考えることは、その死を目のあたりにするのとはまた違った悲しみがあった。二人はしばらく黙って泣きあった。

「いやあしかし信じられんなあ。こんなことってあるんだなあ」ひとしきり泣いた後、平介はしげしげと娘の顔を見た。いや、妻の顔というべきか。

「ねえあなた、どうすればいいかしら」

「どうするったってなあ、人にいっても信用してもらえんだろうしなあ。医者にだって、どうすることもできんだろう」

「精神病院に入れられるのがオチでしょうね」

「だろうなあ」平介は腕組みをし、唸った。

そんな彼の姿を見つめてから暢子がいった。「今日、お葬式だったのね」

「うん？　ああ、そうだ」

「あたしの」

「ああ」平介は頷いた。それから妻の顔を見た。「でもおまえは生きてる」

「加奈江のお葬式ということね」またしても暢子の目に涙が溢れだした。「あたしがあの子の身体を奪っちゃったんだわ」

「おまえは加奈江の身体を救ったんだよ」平介は妻の手を握った。

事故から一週間がたつと、一般の面会も許可されるようになった。真っ先にやってきたのは、加奈江の担任教師と仲の良かったクラスメート四人だった。

「テレビを見て、杉本さんの名前があるんだもの、ものすごくびっくりしちゃった。泣いちゃいそうなくらい」山田という若い女性教師がいった。

「それはどうも御心配をおかけしました。本当にもう飛行機なんてこりごりですわ」暢子が答える。

女性教師はちょっと変な顔をしたが、すぐに笑顔に戻った。「早く学校に出てこれるといいわね。みんな、杉本さんに会えるのを楽しみにしてるから」

「さようでございますか。そうですわねえ、長い間欠席していることになってるわけですものねえ」暢子は平介のほうを見て少し困った顔をした後、あわてて教師のほうを向いた。「ええ、そりゃもうあたしも楽しみにしていると、皆さんにお伝えくださいませ」

女性教師は露骨に怪訝そうにした。病室を出た後でクラスメートたちが、「なんだか加奈江ちゃん、おばさんみたいだったね」というのが平介の耳に届いた。

彼等が帰った後、暢子はベッドで俯せになったまま、しばらく啜り泣きをしていた。加奈江のことを思い出したからに違いなかった。

事故から二週間後、暢子は加奈江の姿で退院した。そろそろ熱の冷めかけていたマスコミ連中も、この日は病院に集まってきた。平介にマイクが向けられる。

「賠償問題については、基本的には弁護士さんに一任してあります。ええ金額なんか問題じゃありません。加奈江の命を奪われ、暢子も深く傷ついています。そのことに対する誠意を見せてもらいたいです」航空会社への対応について質問された時、平介はこう答えた。

この模様を伝えたレポーターは、最後に次のように付け加えた。「杉本平介さんは表面上は落ち着いておられましたが、奥さんと娘さんの名前を間違えるなど、内心はまだかなり興奮しておられる御様子でした。現場からお伝えしました」

家に帰った平介と暢子は、今後のことを改めて話し合った。二人の考えは一致していた。これからも暢子が加奈江として生きていくのが一番いいだろうというものだった。加奈江の身体を借りて、暢子が暢子として生きていくことは到底不可能だからだ。それに、そうすることが加奈江への供養になると二人とも思った。

「しっかり勉強しないとね。成績下げて、あの子に恥をかかせたくないから」急須で茶をいれながら暢子はいった。「あの子の将来の夢って何だったかしら。なんとか叶えてやりたいわ。はい、お茶」

「平凡な奥さんがいいっていってたぞ」平介はいった。

「じゃあ今のままでいいってこと?」

「いや」平介は湯のみ茶碗を持ったまま暢子を見た。「それはちょっとおかしいだろ」

「どうして?」いってから暢子は、はっとしたような顔で自分の身体を見つめ、それからまた夫に視線を戻した。ぎごちない笑顔が浮かんだ。「馬鹿なこと考えないでよ。あたしはずっとあなたのそばにいますからね」

だが平介は黙って茶を啜っただけだった。

やがて平介と暢子の奇妙な生活が始まった。傍から見れば、仲のよい親子に見えただろうが、彼等の会話を聞いていれば、その不自然さに首を捻るはずだった。

「あなた、ゴミ出しお願いね。ああそこのダンボールも。生ゴミの口は縛ってあるわね。あそこ、カラスが多いから気をつけないとだめなのよ」この台詞が小学生の女の子の口から出ているわけである。

「それよりおまえ、そろそろ出かけなきゃならんのじゃないか」

「ああ、そうだわ。ええとランドセルはどこだったかしら」

「宿題はやったんだろうな」

「まあ一応」

「なんだ、頼りないな」

「だってすごく難しいんだもの。あなた、全然手伝ってくれないし」

「子供の宿題を手伝っちゃいかんといったのはおまえじゃないか」

「そんなこといったかしら。ああ、そうだ。交換日記を忘れるところだったわ」

「交換日記？　そんなものをつけてるのか」

「そうなのよ。あたしも知らなかったのよ。相手はアキちゃんという子。かわいい子よ。それで知ったんだけど、加奈江のことを好きな男の子ってのがいるのよ。遠藤君といってね、ぽっちゃりした色白の男の子」

「ガキのくせに生意気だな。加奈江はどう思ってたんだ」

「さあ。でも加奈江の好みではないと思うわ。だから遠藤君には悪いけど、冷たくあしらうことにしたの」

「それがいい」

「じゃあ行ってきます。ああ、あなた。帰りにお豆腐買ってきてね。きぬごし豆腐よ」

姿形は不自然でも、生活する上での不便は全くなかった。当然のことだが、暢子は加奈江の姿をしていても、家事を完璧にこなせた。間もなく加奈江のことは町内でも評判になった。あれほどの悲劇を体験しておきながら、それにめげずに母親の代わりをしている彼女を見て、誰もが感動を覚えた。

「加奈江ちゃん、えらいですわねえ。みんな感心しているんですよ。それにこの頃、一段とお母さんに似てきたみたいで。やっぱり自分が代わりをしなきゃあという気持ちが強いからなんでしょうね。魚屋さんなんか、値切り方までお母さんそっくりだって、びっくりしてましたよ」近所に住む主婦が、会社帰りの平介を捕まえて、こんな話をしたこともあった。

　しかし問題がないわけではなかった。二人にとっての一番の悩みは、やはり夜の営みについてだった。

　ある夜、平介が布団の中でうとうとしていると、脇腹をとんとんと突かれた。暢子が加奈江の顔で、じっと彼を見ていた。「どうした」と彼は訊いた。

　暢子はもじもじしてからいった。「あのねえ、あっちのほうだけど、どうする?」

「あっちのほう?」彼女が何のことをいってるのか、平介はすぐにはわからなかった。わかると目を大きく見開いた。「そんなことといっても、どうしようもないだろ。こんなことになっちゃったんだから」

「するわけにはいかないものねえ」

「当たり前だ。ば、ば、馬鹿なこというな。そんな、じつの娘と。しかも小学生の」

「でもあなた、我慢していられる?」

「我慢も何も、いくら中身がおまえだとわかってても、その姿じゃあ変な気になるわけないじゃないか。俺は変質者じゃないんだぞ」

「そうよねえ。じゃあほかの女の人とするってこと?」

「うーむ」平介は唸った。「そんなことは考えてなかったな。それよりおまえのほうはどうなんだ。そういう欲求ってあるのか」

「それがねえ、そんな気持ちには全然なれないの。そういうことを想像しても、なんだかピンとこないのよね。身体が反応しないというか」

「不思議なものだな。いやまあそれが当然かもしれないけど」小学生の身体が反応したら怖いという気が、平介はした。「とにかくこれについては仕方がないだろ。諦めるしかないぞ」

「そうねえ」暢子は浮かない顔で頷いた。

この時平介は一つの提案をした。二人きりでいる時でも、「あなた」とは呼ばないようにしてくれといったのだ。そして彼も彼女のことを暢子とは呼ばず、加奈江と呼ぶことにする。そう習慣づける必要があると思ったからだ。

「わかったわ」暢子は承諾した。「じゃあ、おやすみなさい。お父さん」

「おやすみ、加奈江」

暢子は加奈江として、その後も順調に毎日を送っていった。はじめの頃は不自然だった言葉遣いも、次第に子供らしいものに変わっていった。それについて平介が訊くと、特に意識しているわけではなく、友達と話しているうちにそうなっていったのだという。

そんな彼女を見て平介は、やっぱり女のほうが適応能力があるのかなと考えたりした。

彼のほうは、かつての妻の名残が暢子の今の姿から少しずつ消えていくのを見て、いいようのない寂しさを感じていた。

　やがて暢子は中学生になった。同級生と比べると大人びた雰囲気があるのは相変わらずだったが、彼等の中に彼女は完全に溶け込んでいた。成績が良く、面倒見もいいので、仲間たちから人気があった。日曜日に数人の友達を連れてくるということもあった。そんな時には彼女は手作りの料理を出した。その出来栄えには、例外なく皆が驚いた。

「すごいのねえ、加奈江ちゃん。どうしてこんなことができちゃうわけ」

「大したことないよ、この程度。今は便利な調理器具がいっぱいあるもんね。昔は蒸し器とか使わなきゃなんなくて、大変だったんだから。今の若いお母さんなんかは恵まれてるよねえ」

「やだー、おばあさんみたいなこといっちゃって」

「だからその、あたしたちも感謝しなくちゃなあと思うわけよ」ボロが出そうになっても、ごく自然に取り繕えるのだった。

　平介が暢子の微妙な変化に気づいたのは、彼女が中学二年になった頃だった。それまで一緒に風呂に入っていたのだが、そのことを彼女が嫌がっているように感じられたのだ。また平気で彼の前で着替えをするということもなくなっていた。ある夜彼は思い切ってそのことについて尋ねてみた。暢子はしばらくためらった後、こういった。

「ごめんなさい。なんとなく嫌なの。どうしてかは自分でもわからないんだけど」そして悲しそうな顔をした。「お父さんのことを嫌いになったわけじゃないのよ」

平介は何ともいえない気分だった。目の前にいるのが妻なのか娘なのか、よくわからなかった。だが自分がとるべき態度は一つしかないと思った。

「わかった。気にしなくていい。これからは風呂は別々に入ろう」

「ごめんなさい」と暢子は俯いていった。

こうしたことがあって、平介としては、加奈江の肉体の成長を意識しないわけにはいかなかった。彼は自分の中に彼女に対する性欲があることを認めており、そのことで自己嫌悪を感じていた。内面は妻だから構わないではないかという言い分が、じつは単なる言い逃れであることも自覚していた。

悩んだ末彼は、暢子のことを加奈江だと思い込むことにした。妻だったという意識は捨て去ることにした。すぐにはできないだろうが、そう努力しようと決心したのだった。

二人は夫婦から親子に変わっても仲が良く、めったに喧嘩などしなかったが、暢子の高校進学の時、少し激しい言い争いをした。

「女子校でいいじゃないか。大学だってエスカレーター式に上がっていけるんだろう？」

「でもここはすごく授業料が高いのよ。その点公立だと、ほらこんなに違う」

「公立はいろいろと問題が多いそうじゃないか。風紀が乱れてたりとか」

「そんなの偏見よ。女子校のほうが閉鎖的でよくないっていう人もいるわ」

「だけど公立は男女共学なんだろ」

「そうよ。それがどうかしたの」

「悪いムシがついたらどうするんだ。あっ、おまえ、もしかしたら、男と遊びたいから公立に行きたいんじゃないだろうな」

「違うよ。何いってんの。あたしが信用できないの？」

「今はそういってても、男から言い寄られたら気が変わるものなんだ。大体あの年頃の男というのは、あのことしか考えてないんだぞ。わかってるのか」

「わかってるわよ。初めてじゃないんだから」

この口喧嘩をしている間、平介の胸中を占めていたものは、いうまでもなく嫉妬だった。だがそのことについて彼は自分のことを異常だとは思わなかった。仮に加奈江が生きていたとしても、同じような口論をしたに違いなかったからだ。

結局平介が折れた形で、暢子は公立の高校へ入った。平介は気が気でなかった。クラスにどんな男子生徒がいるのかをチェックし、男から電話がかかってきた時には、必ず用件を暢子に確かめた。暢子がいない時に彼女宛ての手紙を見つけたりすると、開封するわけにもいかず、彼女が帰ってくるまで苛々していた。

暢子のほうの怒りが爆発したのは、彼女が高校二年の夏だった。仲間同士で行くことになっていたキャンプを、平介が勝手に友達の家に電話して断ったのだ。メンバーの半分が男子だったからだ。

「加奈江にだって青春はあるのよ。どうしてそれを奪っちゃうの？」

「加奈江の身体を借りて、おまえが楽しんでるだけじゃないか」

「どうしてそれがいけないの。そうすることが供養だって、二人で話し合ったのに」

「遊びまわることだけが青春じゃないだろう。勉強だとか、もっとほかにすべきことがあるはずだ」

「人との付き合いだって大事でしょ」

「おまえには俺がいるじゃないか」

「世代が違うわ」

この一言は鋭いナイフのように平介の胸に突き刺さった。彼は返す言葉をなくし、そのまま自分の部屋に引きこもった。しばらくして暢子が入ってきた。

「ごめんなさい。あんなことというつもりじゃなかったの。悪かったと思ってる」

「いや、いいんだ。たぶん加奈江のいうことのほうが正しいんだろう」

「あたしたち、これからどうしたらいいのかな」

「どうもしなくていいんじゃないか。これからは俺自身の問題だと思うよ」

「あなた……」数年ぶりに暢子はいった。そして彼の薄くなりかけた頭を両手で抱いた。

その夏、彼女は友人たちとキャンプに行った。


それからさらに七年が過ぎた。ある大安吉日、平介は某ホテル内の結婚式場の控え室にいた。礼服を着ていた。

「お父さん、花嫁さんの支度ができましたよ」着付け係が呼びにきてくれた。平介は一つ頷くと、新婦控え室に向かった。

ドアを開けると、いきなり加奈江のウェディングドレス姿が目に飛び込んできた。それは鏡に映ったものだった。鏡を通して彼女は平介を見つめ、それからゆっくりと振返った。花のような香がたちこめていた。

「やあ、これはまたなんと」約三十年前の光景を彼は思い出していた。「あの時と同じだ。全く同じだ。あの時のおまえを見ているみたいだよ」

「あたしもそう思ってたところなの」

二人の会話を聞いていた着付け係は、一瞬首を傾げたが、すぐに笑顔に戻った。「本当に綺麗な花嫁さんですわねえ」それから気をきかせて部屋を出ていった。平介と暢子は二人きりになった。

「お父さん、長い間、本当に長い間お世話になりました」暢子は頭を下げた。涙声になっていた。

「うん、あー、身体に気をつけてな」

「はい」

その時ノックの音がした。平介が返事すると、吉永信雄《よしながのぶお》が丸い顔を覗かせた。吉永は新婦を見て、目を輝かせた。「うわー、綺麗だよ。うん、綺麗だ。綺麗だとしかいいようがないよ」そして平介を見る。「ねえお父さん」

「そんなことは三十年も前からわかってるんだよ」と平介はいった。「それより信雄君、ちょっと来てくれ」

「はいはい、なんでしょう」

平介は吉永を控え室に連れていった。幸い誰もいなかった。平介は間もなく暢子と結婚するはずの男の顔を見つめた。吉永は少し緊張しているようだった。

暢子に好きな男ができたことは、彼女から告白されるより先に、平介は彼女の雰囲気から察知したのだった。彼女は大学卒業後、某メーカーに就職していた。会社の男らしかった。ついに来るべき時が来たのだと平介は思った。じつは彼はこの時が来ることを、もう何年も前から覚悟していたのだった。問い詰めると暢子は吉永のことを話した。愛しているといった。結婚を申し込まれているともいった。しかし彼女は事情があって結婚はできないと答えたらしい。吉永は納得せず、顔を合わせるたびにその事情とは何かと尋ねてくるということだった。

平介は吉永と会うことにした。ある晴れた日、暢子は彼を家に連れてきた。

吉永信雄は馬力のある国産車を思わせるような男だった。ややおっちょこちょいに見えたが、家庭を明るくする才能はありそうだった。誠実な人柄でもある。さすがは暢子だなと平介は感心した。結婚生活に何が必要か、よくわかっている。

この男なら任せられる、そう思った。

「あの、なんでしょう?」丸い目で平介を見ながら吉永は訊いた。

平介はいった。「君に一つ頼みがあるんだけどね」

「はい。なんなりと」

「そう難しいことじゃないんだ。ほら、よくあるだろう。花嫁の父が花婿に対してやることだ。あれをやらせてもらえんかね」

「はっ？　なんですか」

「これだよ」平介は拳を吉永の前に出した。

「殴らせてくれ」

「えー」吉永はのけぞった。「今すぐですか」

「いかんかね」

「いやー、困ったな。これから写真も撮らなきゃいけないしなあ」吉永は頭を掻いていたが、すぐに大きく頷いた。「わかりました。あんなに綺麗な娘さんをちょうだいするんですから、そのぐらいのことは屁でもありません。一発いただきましょう」

「誰が一発といった。二発だ」

「えっ、そうなんですか」

「一発は娘を取られた腹いせだ。もう一発は、もう一人の分だ」

「もう一人？」

「なんでもいい。目をつぶりたまえ」平介は拳を固めた。だがそれを振り上げる前に涙がこぼれた。彼はその場にうずくまり、おーいおーいと声を上げて泣きだした。

名探偵退場

1

ノックの音がした時、アンソニー・ワイクは安楽椅子に座り、パイプをくゆらせながら膝の上で昔の資料を広げていた。といってもこの時だけたまたまそうしていたのではなく、夕食を済ませて書斎に入ると、後は眠るまでの時間をこのように過ごすというのが最近の彼の日課だった。

「マーシュかね。入りたまえ」

ワイクがいうと、ドアがゆっくり開き、ヒュー・マーシュの瘦せた身体が遠慮がちに現れた。かつては見上げるほどの長身だったが、今は腰が曲がった状態で固定されてしまったので、ワイクとさほど変わらない。

「五巻が出来あがりました」マーシュは脇に抱えていた黒表紙の本を差し出した。

ワイクは目を細めると、椅子から立ち上がった。

「ようやく出来たかね。これを楽しみにしていたんだよ」彼はパイプをくわえたまま本を受けとると、まずその黒表紙に金色で書かれた文字を眺めた。「これだよ、マーシュ。じつに素晴しい。魔王館殺人事件全記録。思いだすじゃないか。あの知的興奮と緊張感に満ちた日々を」

「私もこれを見て思いだしておりました」マーシュは何度も首を縦に動かした。

ワイクは再び安楽椅子に腰を落ち着かせると、自費出版の本の表紙を徐《おもむろ》にめくった。印刷されたインクの匂いが鼻を刺激する。

「これは私が手がけた事件の中でも、最も困難なものだったといえるだろう。何しろ手がかりらしきものは全くないに等しい。そのくせ容疑者だけはやたらにいる。それに何よりも」彼はパイプの先をマーシュの方に向けた。「殺された主人の部屋は二重どころか、三重の密室になっていたんだからねえ。いや自分でいうのも何だが、グライムズ家の人々がスコットランド・ヤードなどに連絡せず、この私に相談を持ちかけてきたのは奇跡的な幸運としかいいようがない。ヤードの連中の、まるで一ヵ月前のパンみたいに黴が生えて固いだけの頭では、到底あれだけもつれた紐を解くことはできなかっただろうからね」

「本当に、私にとっても思い出深い事件でございました」マーシュがいった。「ただ残念なことに、あれ以来独創的な犯罪もめっきり減りました」

老いた助手の言葉に、ワイクは眉間を寄せた。

「まさにそのとおりだよ、マーシュ。近頃の犯罪者のオリジナリティ欠如には、ほとほとあきれてしまうからね。手口といえば、先人の真似ばかり。ひどいのになると、ロクにトリックも用意せずに人殺しをするという有様だ。私が現役でやっていた頃には、犯罪者も芸術家としてのプライドを持っていたものだよ。もちろん彼等の作品にも齟齬はあった。だからこそ最終的には私に見抜かれてしまったのだがね。しかしそういう齟齬も、華麗さを追求するあまり生じた必要悪のようなものだった」

ここまでしゃべったところで、ワイクは咳をひとつした。痰が喉に絡んだのだ。昔はこの程度の講釈で、声の調子が悪くなったりすることはなかった。

「まあそうはいっても」彼は少し声を落としていい、ついでにため息をついた。「彼等ばかりを責めるのも酷かもしれん。今は警察側の捜査の仕方が変わった。何でもかんでも科学科学だ。首なし死体だからといって身元の確認ができないわけじゃない。死体を焼いたところで、何ひとつごまかせん。ついこの間なんか、血痕から犯人の遺伝子を調べて逮捕したというじゃないか。頭脳と頭脳の戦いではなくなったわけだ。興醒めもいいところだよ。これでは犯罪者に、芸術性を要求するのは無理というものだ」

「ヒギンズ警部も同じようなことをおっしゃってました」

マーシュが名前を出したのは、ヤードを二十年ほど前に退職した男だ。ワイクのライバルであり、引き立て役でもあった。手がかりの全てに一応の説明をこじつけ、真相にはほど遠い結論を導きだす名人だった。彼とは今でも時々会う。

「そうだろうな。彼も彼なりに、あのとんちんかんな推理を楽しんでいたのだよ。それが科学で何でもわかるとなれば、彼の腕の見せどころがなくなってしまう。まあ早く引退してよかったよ。警部がコンピュータの前でまごまごしている姿など、少しも見たくはないからね」

「全く」マーシュは警部のそういう姿を想像したのか、皺の多い顔をくしゃくしゃにして、愛敬たっぷりに微笑んだ。

「いや、それはともかく」ワイクは手元の本に目線を戻すと、子犬をかわいがるように掌で紙面を撫でた。「この事件は私の代表作といえるものだよ。魔王館殺人事件。覚えているかね、魔王館を」

「忘れるものですか」マーシュは、きりっと顔を引き締めた。その拍子に、腰まで少し伸びたようだった。「不思議な形でした。魔王の首と呼ばれる離れがございました」

「殺人はその部屋で起こった」ワイクは目を輝かせ、本を抱えたまま勢いよく立ち上がった。「殺されたのは当主のタイタス・グライムズ卿だった。人づきあいが悪く、世間とは接触を避けて暮らしているような人物だ。そのくせ男色家という噂があったりする」

「自称恋人がおりました」

「リチャードだよ。リチャード・スミス。顔色が悪いくせに、肉体は頑健そうなわけのわからない男だった。グライムズ卿の莫大な遺産を、臆面もなく要求した一人だ」

「母屋に住んでいたのは、そのリチャードを入れてたしか七人でしたね。しかし家族と呼べるのは……」マーシュが途中までしゃべったところで、「たった一人だ。グライムズ卿の娘エミリー」ワイクが後を引き継いだ。「五歳だった。一番最後の妻との間にできた子供だ。妻は事件の二年前に病死している。同居人のうち二人が甥と姪にあたり、二人が従妹弟、残りの二人がエミリーの家庭教師をしていたマダム・ロチェスターと居候のリチャードだ」

「グライムズ卿付きのメイドであるシーラ嬢が、お見えになったのが最初でした。御依頼の内容は、旦那様が何者かに狙われている、助けてほしい、ということでしたね」

「もちろん我々は車を飛ばした。雪が激しく降る中を、だよ。まだ事件は起きてはいなかったが、この鼻が反応したのだよ」ワイクは自分の鷲鼻を人差し指ではじいた。「凄惨な事件の臭いが、彼女の身の回りから発散していた。そしてそれは不幸なことに気のせいではなかった。我々が駆けつけた時、グライムズ卿はすでに殺されていた」

いや、と彼は自分のこめかみを二、三度突き、首をふった。

「着いた時は、まだ殺されていることには気づかなかった。グライムズ卿は離れで休んでいるということだったからね。その時にはすでに雪はやんでいて、魔王の首と呼ばれる離れの周りも一面銀世界だった。あの白さは、その後で見る惨劇とまさに対照的だったよ」

「そして密室」

「三重のだ」ワイクは指を三本立てた。「死体は離れの中の書斎で見つかったが、その書斎にも、離れの入り口にも鍵がかかっていたからね。その死体がまた尋常とはいえない。中世の鎧を着て、その中で首を絞められているという有様だ。しかも容疑者全員にアリバイがある。後で到着したヒギンズ警部が、話を聞くなり悪魔の仕業だと結論づけてしまったのも無理はない」

「しかしその難事件も、ワイク様が見事に解決しておしまいになりました。あの夜のことは、今でも瞼に焼きついております」マーシュは目を閉じた。

「あの、庭を見渡せる居間のことだね」ワイクも立ったままで、同じようにした。そうするとこの書斎が、あの夜のグライムズ邸の居間のように思えてきた。そして聞こえる。

彼自身の声だ。

「さて、皆さん」――現在のようにしわがれたものではなく、よく通るバリトンだ。容疑者たちはソファに座ったり、柱にもたれたりして探偵の言動に注目している。無論ヒギンズ警部をはじめ、スコットランド・ヤードの連中も一緒だ。ワイクは胸を張り、たっぷりと時間をかけて全員の顔を見渡した。

「さて、皆さん。私は今回の事件ほど、複雑で、巧妙なものを知りません。その点については、私は真犯人の頭脳に敬服する思いであります。今回の事件で犯人が犯したミスはたった一つです。もしそのミスに気づかなければ、私は決してこの謎を解くことはできなかったでしょう」

皆の反応を見る。そしてもったいをつけながら、三重の密室の謎を解明していった。同時に、なぜ死体が鎧を着ていたのかも明かす。整然とした論理。感情を排斥した分析。容疑者も警察もワイクの芸を見る観客にすぎない。

そしていよいよ核心に入っていく。容疑者を一人ずつあげ、被害者との関係や隠された過去を明らかにするのだ。たとえばグライムズ卿の姪のメロディについてはこうだ。

「ミス・メロディは、五年前までウェザリントンの牧師館でメイドをしていました。ところが近くのパブの調理人と恋仲になり、妊娠してしまいました。彼女は調理人と駆け落ちしましたが、ある日相手の男が行方をくらましたのです。仕方なく彼女は出産すると、赤ん坊を連れて戻り、牧師館の中に置いて逃げたのでした。その赤ん坊は現在もそこで育てられております。ミス・メロディは毎年クリスマスに匿名でプレゼントを送っていますが、今年は思い切って会いに行く決意をしたのです。その証拠といえる手紙がここにあります」そして呆然としているミス・メロディに構わず、懐から一通の手紙を出す、という具合だ。

また彼はこの時点でもう一度、各自の事件当夜の行動を整理した。ここでもミス・メロディのケースを例にとってみる。

「事件当夜、彼女はこの手紙を書いていました。しかしそれをグライムズ卿に見つかったのです。彼はミス・メロディを汚れのない女性だと信じていたので、ひどく怒りました。『この馬の尻めっ』と。それがリチャード君の聞いた声です」

こういった調子で容疑者全員についての解説を行う。彼が語った内容を分析すれば、真犯人は自ずと明らかになるはずなのだ。だからここでワイクは、ヒギンズ警部たちの方を見ていう。「ここまでお話しすれば、聡明な警部には、もはや全ておわかりのことと思いますが」

すると警部は部下たちの顔色を窺い、尻を少しもぞもぞさせたあとでいう。「うん、まあだいたいはね」軽く咳ばらい。「しかしだ。ここまで君にしゃべらせといて、肝心なところだけ私が明かすというのも不公平だろう。まあ今日のところは——今日ぐらいは君に花を持たせてやろうという気になっているのだよ」

「お気遣い、感謝いたします」ワイクは頭を下げる。このやりとりは、もはや警部との間の儀式みたいなものなのだ。

「では皆さん」彼は容疑者たちの方に再び向き直った。「いよいよ真相をお話しいたしましょう。真犯人はいったい誰か？　それはすでに明白です。三重の密室を作りだせる者、鎧を着るようグライムズ卿を騙せる者、そして彼を殺す動機がある者。この三点で絞ればいいのです」

ワイクは自分の顔の前で人差し指を立てると、それをゆっくりとある人物の前まで移動していった。「犯人はあなたですよ。マダム・ロチェスター」

彼が突きだした指を、上品な顔だちの婦人はまるで銃口を見るような目で見た。そして栗色の髪を力なく左右に振った。怯えと、不思議なことだが安堵の色も見える。

「私は……」彼女は立ち上がった。ワイクの方を向いたまま後ずさりする。踵が後ろの柱に触れると、踊るように駆けだした。

入り口に部下を立たせるよう警部に頼んでおかなかったのが失敗だった。マダム・ロチェスターの姿が完全に消えてから、「警部、彼女を追ってください」とワイクは叫んだ。その声でようやく事態を理解したらしく、ヒギンズ警部は部下に指示を出した。彼の部下たちもまた、声がかかるまでは人形と同じだった。

マダム・ロチェスターは心臓を患っていた。ふだんは全力で走ることなどなかったに違いない。その彼女がいきなり走った。またワイクに犯人だと見抜かれたことも、少なからず彼女の心臓に負担を及ぼしたかもしれない。彼女は魔王の首に至る庭の途中で、発作を起こして倒れたのだった。警部の部下が抱き起こしたが、その約一時間後に息をひきとるまで、とうとう意識が戻ることはなかった。

「ひとつだけ心残りがあるとすれば」現実に戻ってワイクはマーシュに話しかけた。「マダム・ロチェスター自身の口から真相を聞けなかったことだよ。もちろん自分の推理に間違いはなかったと思うが、どこまで正確に的中していたか知りたくてね。もしそれを聞けていたならこの手記でも」と黒表紙の本を持ち上げた。「そこのところを強調するのだがね。たとえば私は、グライムズ卿が殺される前に自家製の苦味ビールを飲みたいといった理由についても推理している。このこと自体は事件とは直接関係ないが、マダム・ロチェスターに聞けばはっきりしたはずだ。そうなれば私の推理の綿密さが、さらに際立つところだったのだよ」

マーシュは仲間の愚痴を聞く老人そのままに、ロバのように首を上下させた。

「まあそれにしても、大変な事件だった」ワイクは本を丁寧に棚にしまうと、安楽椅子に腰を落ち着けた。このところ足腰が弱っているらしく、少し立ったままでいると膝の上あたりがちかちかと痛みだすのだ。

「もうあんな事件はない」彼は首をふった。「夢とロマンを与えてくれた。昔の話だ。しかし死ぬまでにもう一度、あのような事件に遭遇できないものだろうか。いや」と言葉を切った。「あれほどの事件でなくてもいい。だがこの私の頭脳が健在なうちに、もう一つ謎を解きたい。私にふさわしい謎に出会いたい。なあ、マーシュ」

年老いた助手は顔を上げ、長年仕えた主人を見た。

「それは贅沢なことだろうか？」かつての名探偵は静かに尋ねた。

2

実際のところ、ワイクは自分の夢がかなうとは思ってもみなかった。探偵などという稼業が成り立つ時代でないことは、誰よりも彼自身がよく知っている。それで北部の郊外に引っ込み、過去に処理した代表的な事件を、手記として自費出版する作業に専心していたのだ。最近は講演の依頼もないし、原稿を頼みに来る出版社もなかった。それでも若い頃の蓄えがかなりあるので、メイドを雇う程度のことは可能だ。マーシュには娘夫婦からの仕送りがある。そんなわけで二人の日課は、専《もっぱ》ら昔の事件を忘れないように復誦することだった。ところがそんな二人の許へ、依頼人がやって来たのだ。講演でも原稿でもない。探偵の依頼に来たのである。

彼女はメアリー・ホークと名乗った。年は三十代半ばというところだ。コートの下は濃紺のワンピースだった。ところどころにグレーのラインが入っている。胸には金線細工のブローチ。ピドルトンから来たと彼女はいった。この近くだが田舎だ。

「私はロックウェル家で家政婦をしています」メアリーはやや緊張の色を浮かべたまま、本題に入った。「当主のアルフレッド・ロックウェル様のことで御相談に伺いました。あの、アンソニー・ワイク様は大変素晴しい方だとお聞きしたものですから」

「ただの探偵ですよ」ワイクは二十年ぶりにこの台詞をいった。いいながら、この女性のアクセントから出身地を当てようと考えていた。この発音は覚えがある。ヨークシャーだったか……久しぶりのことで、度忘れしていた。

「で、どういう相談なのですか」マーシュもすっかり二十年前に戻って質問した。

「はい。じつはロックウェル様の命を狙っている人が、屋敷の中にいるようなのです」

メアリーの言葉に、ワイクはくわえていたパイプを落としそうになった。「詳しく話してください」

「先日のことです。ロックウェル様に呼ばれて、お部屋に行ってみると、薬の瓶を見せられました。旦那様がいつもお飲みになる睡眠薬です。誰かがこれに触ったかとおっしゃったので、存じませんとお答えしました。すると旦那様は大層難しい顔をされて、じつはこの中に毒が交じっていたのだとおっしゃいました」

「どんな毒ですか。粉末それとも錠剤？」ワイクは椅子から身を乗り出した。

「白い錠剤です。睡眠薬にとてもよく似ていて、旦那様に見せられても違いがすぐにはわかりませんでした。旦那様は大変目の良い方なので、別の錠剤が交じっていることにすぐに気がつかれたそうです」

「白い錠剤、ロックウェル氏は目が良い」そう繰り返すと、ワイクは婦人の方を見たまま右隣にいる助手に指を突き出した。「メモだ、マーシュ。これは重要な手掛かりだぞ」

マーシュは昔を彷彿させる機敏な動作で、ポケットから手帳を取り出した。その手帳は一昨年のカレンダーがついているんじゃないかと思うぐらいに、縁が黄色く変色していた。助手がメモを取るのを確認してから、「どうぞ続けてください」とワイクはメアリーにいった。

「じつは命を狙われたのは二回目だと旦那様はおっしゃいました。一度目は先日馬にお乗りになった際、鞍の下にガラスの破片を仕込んであったそうなのです。馬が暴れて危うく落馬されるところでしたが、旦那様の手綱さばきはそれは素晴しいもので……」

「無事だったのですね」ワイクの言葉に彼女は大きく頷いた。マーシュが横で、「ロックウェル氏は乗馬がうまい」と呟いた。

「馬の世話をするのは誰ですか」ワイクが訊いた。

「馬番がいます。でも旦那様は彼を疑ってはおられないようでした。彼は馬を自分の子供のようにかわいがっておりまして、ガラスの破片を仕込むなんていう恐ろしいことは、到底できませんわ」

「屋敷に同居なさっているのは何人ですか」

「旦那様と私を除けば六人です。旦那様の弟にあたる、レット・ハーリン様とハーリン様の奥様のビビアン様と息子さんのケネス様。旦那様の妹にあたるフェイス・オードリー様と御主人のモルティン・オードリー様。ただしハーリン様もフェイス様も、旦那様とはお母さまが違うということです。それから内縁の妻を主張しておられるマーガレット・プラント様です」

人間関係を整理するため、ワイクは彼女にもう一度繰り返させた。それをマーシュが書き取っていく。昔は流れるように彼のペン先は動いたものだが、今はどうもぎくしゃくしている。

「ほかに屋敷に出入りする人は？」ワイクは訊いた。

「ふだんはめったに。ああ、でもジェームズ・ライルさんがいますわ。旦那様の主治医をなさってる方で、週末には必ず。とても良い方ですわ」メアリーはそのことなら保証するとでもいうように、胸の前でがっちりと掌を組んで見せた。

「するとその中に」ワイクは足を組みかえた。「ロックウェル氏の命を狙った者がいる可能性があるというわけですね」

メアリーは頷き、今にも泣きだしそうな顔をした。

「旦那様はそうおっしゃるのです。そして私に、今すぐ名探偵アンソニー・ワイク氏のところに行って相談しろと命じられました。必ず何とかして下さるからと」

「賢明な選択でしたね」ワイクは安楽椅子の上で、ちょっと胸を張った。名探偵という言葉を自分やマーシュ以外の人間の口から聞くのは、久しぶりのことだった。「ただ疑問な点がひとつありますね。ロックウェル氏はあなたのことを疑ってはいないのでしょうか」

すると彼女は心外そうに眉をひそめ、たった今自分が名探偵と称した男を眺め直した。

「私には動機がありませんわ。旦那様が亡くなれば、暇を出されるだけです」

「すると他の方々には動機があるのですか」

「ございますとも」彼女は声を少し大きくした。「旦那様がお亡くなりになれば、莫大な財産が残りますわ。あの方たちはそれを目当てにしておられるのです」

面白い展開だ、とワイクは思った。豪邸、そこに住む一癖も二癖もある連中。遺産目当ての犯行。あの『魔王館殺人事件』以来、久しぶりの本格的設定ではないか。

「つまりこういうことですね」ワイクは胸が躍るのを抑えながらメアリーにいった。「現在ロックウェル氏は、多くの容疑者と同じ建物の中で暮らしていると」

だがメアリーは首をふった。「いいえ違いますわ」

「何が違うのです」

「同じ建物ではないのです。旦那様は現在、天使の羽と呼ばれる離れで生活しておられるのです」

昨夜から降り続いた雪はやんだようだ。

ピドルトンに向かう車の中で、ワイクはメアリー・ホークの話を元に描いた天使館の見取り図を眺めていた。天使館というのはロックウェル氏が自分の屋敷につけた愛称だが、どこがどう天使なのか、ワイクには正直いってよくわからなかった。その点では魔王館の時と違う。あの屋敷は上から見れば、まさに魔王がマントを広げたような形をしていた。

だがその点を除けば、今回の状況は魔王館殺人事件と酷似している。離れに住んでいる当主が命を狙われていること、それを屋敷に勤める女性がワイクのところへ知らせに来たこと、そして当主の遺産を狙う同居人の存在などである。

「もう一つ揃えば」ワイクは隣で居眠りを始めそうなマーシュにいった。「完璧に同じだよ。あと一つの条件がね。しかしそれを期待するわけにはいかん。そのためにも我々は急ぐ必要がある」

「不思議なこともあるものですな」マーシュは欠伸を殺していった。彼は昨夜久しぶりに仕事鞄を出したらしいのだが、虫眼鏡、双眼鏡、合鍵セットというところは全部黴だらけだし、懐中時計は十年以上も前の時刻を示したまま、ぴくりとも動かなかったそうだ。それでそれらの掃除をしたり臭い抜きをしたりしているうちに、朝になってしまったというのだ。それでもまだ完全ではないのか、彼が抱える革製の鞄からは何ともいえない黴臭い空気が漂っていた。

突然がたんと衝撃があって、車が止まった。その勢いで、ワイクは前の席の背もたれに鼻を打った。一瞬頭がぼうっとし、それから我に返る。「どうしたのかね」自慢の鼻を押さえながら彼は運転手に訊いた。

「雪で車輪が滑りまして」運転手はいった。

「大丈夫かね。ピドルトンはさらに田舎だから、もっと雪の深い山道を通ることになると思うが」

「大丈夫です。今は小さな獣が急に飛びだしてきたものですから」運転手は再び車を動かした。ワイクは周囲を見た。田園もすでに真っ白に変わっていた。それから約二時間後に彼等はピドルトンに到着した。

ロックウェル邸は尊厳と優しさを備えた邸宅だった。砂岩で出来た屋敷は暖かみを滲ませているし、アプローチの途中には小川を渡る石橋がある。小さな塔が並んでいて、かつては領主宅であったことを窺わせた。

だが邸の様子を観察している余裕は、それほど多くはなかった。ワイクとマーシュが車から降りて屋敷の正面に立った途端、中からメアリー・ホークが駆け出してきたのだ。死人のように青ざめている。

「旦那様の御様子がおかしいんでございますよ。離れに行かれたっきり、何の音沙汰もないのです。インターホンでお呼びしても、返事がございません」

「どちらですか」ワイクは荷物を持って駆けだそうとした。だがこのところ弱りきっている足腰に瞬発力を要求するのは少しばかり酷だった。彼は太腿の裏に電気が走るのを感じると、その場にしゃがみこんだ。それからそろりそろりと立つと、片足をひきずりながらメアリーの後を追った。マーシュはそれが全力なのか、ハロッズにキャビアでも買いに行くようなスピードで歩いていた。

邸内を通って、彼等は裏庭に出られる扉の手前に達した。そこにはがっしりした体軀の男と、金髪の若い娘がいた。男はジェームズ・ライルと名乗った。ロックウェル氏の主治医だ。娘の方は自称内縁の妻のマーガレット・プラントだった。

「今から様子を見に行こうかと思っていたのですよ」ライルはいった。「しかしこういう状況ですからね。ワイクさんが見えると聞き、任せた方がいいかと思って待っていたのです」

ワイクは扉の前に立ち、裏庭を眺めた。その向こうに古い石段があって、さらにその先に離れが見える。ライルがいったのは裏庭の状態のことだった。昨夜降った雪によって一面が白く覆われており、その上には靴ひとつ分のくぼみさえ発見できなかった。

さて後の状況を詳しく述べる必要はないかもしれない。雪によって隔離されていた離れのドアは、予期した通り内側から施錠されており、その中の書斎にも鍵がかかっていた。どちらのドアも、ライルが斧で叩き壊した。そうしなければ入れなかったのだ。そして書斎で見つかったのは、椅子の上で人形のように崩れていたアルフレッド・ロックウェル氏だった。氏の胸からは血が流れており、またその手にはピストルが握らされていた。

主治医のライルは少し診ただけで、すぐに首をふった。

「その銃はロックウェル氏のものでしょうか」ワイクは訊いた。

「だと思うわ」壁にはりつくようにして死体から目をそむけていたマーガレット・プラントがいった。「いつも引き出しの中に入れていたのを見たことがあるから」

ライルは死体の手からピストルを取ると、ワイクに渡した。ずしりとした量感と、ひんやりした感触がある。

「皆さんに集まっていただく必要があるでしょうなあ。そして少々お話を伺いたい」ワイクはピストルで天井を撃つふりをしていった。

屋敷には同居人のすべてが揃っていた。ハーリン夫妻と息子、オードリー夫妻、マーガレットとジェームズ・ライル。ワイクは彼等一人一人から話を聞いていった。じつは彼にとって内心歓迎すべき事態が一つ発生していた。ここへ来る途中の道で雪なだれが発生し、町との通行が不可能だというのだ。しかもその事故の影響で電話のケーブルも切断しているという。つまりこの古城を思わせる邸宅は、今や完全に外界から孤立しているのだ。彼の推理力を存分に発揮するのに、格好の舞台が出来上がったといえた。

「じつに不思議なことだが」この夜ベッドに入る前にワイクはマーシュにいった。彼等二人の部屋は、内扉で行き来できるようになっている。「この事件はあの魔王館殺人事件そのままだよ。人間関係や屋敷の形こそ少しずつ違うが、本質的な中身は全く同じだ。三重の密室の謎も、そっくりコピーしているといってもいいぐらいだよ」

「なぜそのようなことが起こるのでしょう」マーシュは薄気味悪そうな顔をした。

「その点について考えているんだが、一つだけ可能性があることに気づいた。つまりこれは犯人が、魔王館殺人事件を真似しているからじゃないだろうか。あの事件を真似すれば、完全犯罪が可能だと考えたのだよ」

「見事なトリックでしたからな」

「そのとおり。普通の人間には見抜けない。だから犯人の狙いは九十九パーセントの確率で成功するはずだった。ところが不運なことに、残りの一パーセントの目が出てしまったのだよ。それは私だ」ワイクは自分を指差した。「私が来てしまった。こうなっては犯人もお手上げだよ。今頃はいかにして逃げだそうか、頭を捻っているに違いない。

ところが道は閉鎖され、屋敷から脱出することもできないときている」

「するともう犯人の名前は？」

「時間の問題でわかるよ。何しろ昔の事件をなぞるだけでいいのだからね。しかし」ワイクは一旦唇を結んで、首を左右に振った。「何だか物足りない気もする。せっかく久しぶりに大事件に遭遇したと思ったのだがね。やはり独創的な犯罪者というのは、死滅してしまったのだろうか」

「まあ、それでもいいではございませんか」マーシュは元気づけるようにいった。「まだ例の発表の段階が残っております。あれをまたやれるとは思いませんでしたから」

「うん、あれはいい」ワイクも頷いた。「明日の昼にはすべての謎が解けるだろう。夜には皆を居間に集めてくれたまえ」

かしこまりました、と老助手は返事した。

次の夜、予定通りに謎解きを完了したワイクは、自分の部屋でしきりに髪型を気にしていた。昔はさっと櫛を入れるだけで、気品と知性を示せたはずだが、殆ど白髪の上に絶対量が不足しているので、どうにもうまく仕上がらないのだった。それでも何とか妥協すると、今度は全身を映してみた。タキシードはなかなか決まっている。

そこへマーシュが入ってきた。「皆さまがお集まりです」

「ありがとう。ところでどうかな、何か変なところはないかね」ワイクはその場でくるりと回って見せた。

マーシュはいろいろと角度を変えて主人の服装を点検すると、「完璧でございますよ」と相好を崩した。「まるで英国艦隊のように一分の隙も見当たりません」

「そうかね、それを聞いて安心した。いやそれにしてもこの緊張感、久しぶりだね」ワイクは身体をほぐすために腕を軽く回すと、あーあーと発声の練習をした。肝心な時に痰がからまるというのが、最近の悩みの一つだった。仕上げに水差しの水をグラスに注いで流しこんだ。「では行くとしようか」

居間に入ると全員の目が彼に集中した。何十年ぶりかで浴びる視線のシャワーの何と心地よいことか。彼はその感激を味わうように、ゆっくりと皆の前を歩き回り、最後に真ん中で止まった。

「さて」とワイクはいった。その声は自分でもうまく出たと思った。オペラでもそうだろうが、常に第一声が大事なのだ。

「それではこのたびの事件の謎を、ただ今より解き明かしたいと思います。今回の事件は知力の限りを尽した計画殺人であり、私こと探偵ワイクが関わるという偶然がなければ、完全に犯人の思惑通りに事が運んでいたでしょう」

なかなか良い調子だった。痰のからむ心配もなさそうだ。ところが、「それではまず密室の謎ですが――」と続けた時だった。どうしたことか、突然声が出なくなったのだ。かすれたのではなく、発声の仕方を忘れたような状態だ。そのうちに全身の力が抜けたようになって、ワイクはその場に膝をついた。

「どうされたのですか」近くに座っていたジェームズ・ライルが駆けよってきた。そしてワイクの脈をとった。「いけない。どうやら心臓発作らしい。そこのテーブルを」

彼の指示でテーブルの上が片付けられ、代わりに彼の身体が寝かされた。ワイクは自力で動こうとしたが、どうしても手足がいうことをきかなかった。口も動かない。辛うじて動くのは目玉だけだ。耳は問題なく、音を拾っている。それにしても生涯最後の晴れ舞台に何という失態だとワイクは歯ぎしりをしたくなった。が、もちろんそれすらもできない。

「しばらくこうして休ませておけば大丈夫でしょう」ライルは皆にいった。マーシュが心配そうにそばに来て、ワイクの胸元を開いてくれた。

「それにしてもどうするの、肝心の探偵さんが倒れちゃったんじゃ、どうしようもないわね」フェイス・オードリーがいった。すると彼女の夫であるモルティン・オードリーがゆっくりと立ち上がった。「では仕方がない。僕が謎解きをすることにしよう」

それを聞いてワイクは瞬きをした。無茶なことをいうんじゃない、素人にこの事件を解けるはずがない。

だが彼の心配をよそに、「いいじゃないか、やってみろよ」レット・ハーリンがけしかけるようにいった。彼の妻子であるビビアンとケネスも手を叩いた。

「それでは御要望に応えて、僕が代役をつとめます。ではまず密室の謎から」

そんな馬鹿な、とワイクは思った。あの三重の密室を解いたというのか。

ところが彼の驚きをよそに、モルティン・オードリーは密室トリックの解説を始めた。しかもそれはほぼ完璧で、ワイクの推理と大差がなかった。もしかしたらこの男も、魔王館殺人事件のことを知っているのかもしれないとワイクは思った。

続いてモルティン・オードリーは、各自の略歴を解説した上で、事件発生時の行動を整理していった。それもまた、いつもワイクが取る手順だ。まるでワイクの胸の内を代弁するように、論理を組み立てていく。

「さてこうなると、犯人は明らかになったも同様だ」モルティン・オードリーは皆の前を一通り回ってから足を止めた。そしてゆっくりと一人の人物を指差した。「犯人はあなたですよ、レット・ハーリン」

何をいいだすんだ、とワイクは叫びたくなった。これまでの推理からすれば、犯人はジェームズ・ライル以外に考えられないはずだった。

「馬鹿なことをいうな。なぜ私がアルフレッドを殺すのだ」ハーリンも怒鳴った。

ところがモルティンは自信たっぷりに続けた。

「事業がうまくいかないあなたは、何とか彼の遺産が欲しかった。そこで殺人を思いついた。あなたは事件が起きた時、自分の部屋にいたというがそれは嘘だ。じつは雪が降っている間に、離れに行ってロックウェル氏を殺していたのだ。その何よりの証拠が、裏口のそばに落ちていた一本の糸だ」

糸だって？　ワイクは耳を疑った。そんなものが落ちていたことなど全然知らなかった。だが彼の驚きをよそに、モルティンは推理を展開していく。ハーリンには犯行が可能で、落ちていた糸は彼の服から脱落したものであることなどだ。

「冗談をいってもらっては困るよ」ハーリンは口髭をぶるぶると震わせた。「私にはアリバイがある。私が部屋にいたことを証明してくれたのは君じゃないか」

「たしかにね」モルティンはにやりとした。「だけどよく考えてみたらね、勘違いだと思い当たったんです。あなたが部屋にいるのを見たのは、事件が起きるもっと前でした」

勘違いだと？　ワイクは喚きたかった。あの証言を信じたからこそ、彼はハーリンを容疑の対象から外したのだ。

「くだらない。その程度の推理で探偵気取り？」ここで立ち上がったのが、ハーリンの妻のビビアンだった。彼女は腰に手を当て、憎々しげにモルティンを睨んだ。

「じゃあ君に別の説明ができるというのかい」モルティンは彼女を見返した。

「もちろんよ。今度の事件が起きた時から、あたしには犯人はわかっていたわ。犯人は」ビビアンは、マーガレット・プラントの前に立った。「犯人はあなたよ」

「ふざけないでよ」マーガレットはきんきん声を出した。「あたしにはアリバイだってあるし、密室のトリックなんて無理よ」

「そりゃああなたのような軽薄なおつむでは、そんなトリックは考えつかないでしょうよ。だけどあなたに秘密の特技があることを、このあたしは知っているんですからね」

ビビアンの台詞に、マーガレットの顔から血の気がすうっと消えた。「その特技とは何だい」とハーリンが訊いた。

「それはね、催眠術よ」勝ち誇ったようにビビアンがいった。

「催眠術だって？」皆が一斉に声を上げた。ワイクも心の中で張り上げていた。催眠術だって？　しかしビビアンのいったことが嘘でない証拠にマーガレットは、「だけどそしも黙ってはいられない。ベーカー街に住んでる、おばあちゃんに顔向けができないもの」

「よくもそんなでたらめをいえたものだわ」彼女はいった。「そこまでいわれて、あたしも黙ってはいられない。

その彼の心の叫びを聞いたように、マーガレットが目を三角にしてソファから離れた。

誰か反論してくれと彼は願った。真犯人はジェームズ・ライルだといってくれ。

ワイクの探偵としてのポリシーである。

そんなことがあるはずがないと、ワイクは訴えたかった。こういう本格的な殺人事件には、催眠術などは出てこないはずなのだ。そんな興醒めな真相はいけないというのが、

見下ろしている。

「なるほど、その手があったか」ビビアンの謎解きに、モルティンも感心したようにいった。ビビアンは得意気に鼻をぴくつかせ、ロックウェル氏の内縁の妻と自称する女を

「いい加減なことといわないで頂戴。あなたとロックウェルさんが時々催眠術ごっこをしているのを、あたしが知らないとでも思っているの。どうせ遊びのふりをして、ロックウェルさんに本当の催眠術をかけたんでしょう。あの人が離れの部屋に籠って、ピストルで自ら命を絶つようにね」

れを悪用したことはないわ」と弁解して唇を噛んだ。

「すると君にも推理するところがあるのかね」ハーリンが訊いた。

「あなたの奥様よりはマシな推理がね。皆さんどうして、そう密室だ密室だと騒ぐのかしら。今度の事件はじつは密室でも何でもないのよ」そういうとマーガレットは、部屋の隅に座っていたフェイス・オードリーのところまで大股で歩いていった。「そのことはあなたが一番よく知っているはずよね、フェイス」

「おいおい、無茶をいうなよ」フェイスの夫であるモルティンが、マーガレットの横からいった。「家内はずっと図書室にいたんだ。そのことは大抵の者が知っていることじゃないか」

「その図書室が問題なのよ」マーガレットはいった。「フェイスは図書室の一番奥に居たといったわね。あそこにはバルザックの全集を収めた棚があるわ。でもそれはただの棚じゃない。下から二番目の段のところに小さな木の節目があって、それを押すと扉のように開くのよ。そしてその向こうには地下に降りる階段がある。それは外に出ることなく離れに行くことができる、秘密の抜け道なのよ」

抜け道だって？　ワイクは心臓が大きく跳ねるのを感じた。秘密の抜け道なんていうのは、アンフェア以外の何物でもないではないか。

「まさか、本当かい？」ハーリンがいった。「私は全然知らなかったが」

「知っている人間は限られているわ。アルフレッドとフェイス、それからあたし。あたしはフェイスが棚の裏から出てくるのを、以前見たことがあるの」

「フェイス、彼女のいってることは……」モルティンは絶句した。するとフェイスは諦めたように首を縦に動かした。「本当よ」

「おお、フェイス……」

「でも」と彼女はマーガレットを真っすぐに見つめ返した。「犯人はあたしじゃないわ。あの日あたしは抜け道を使わなかった」

「信用できないわ」

「今から信用させてあげる」フェイスはゆっくりと首を回すと、すでに席についているビビアンにいった。「犯人はあなたよ。離れの出入口の錠には合鍵がないというのは嘘。あなたが持っているのを、あたしは知っているわ」

何だって、とまた全員が声を揃えた。

だがフェイスに犯人扱いされたビビアンはひるまずに、先刻と同様マーガレット犯人説を主張。マーガレットはフェイス犯人説を唱えた。それに混じって、モルティンによるハーリン犯人説が出る。こうなってはハーリンも負けてはならないと、お手伝いのメアリー犯人説という奇抜な意見を出した。メアリーも憤慨して、十歳になるハーリン夫妻の息子ケネスが怪しいと力説を始めた。

名探偵ワイクはすっかり混乱していた。何が何だかわからなかった。各自の言い分は無茶苦茶なはずなのだが、それなりに筋の通っているところが厄介だった。ところがどういうわけか、誰もジェームズ・ライルが犯人だとはいわないのだ。

ワイクは自分の心臓の鼓動が、やたら早くなっているのを感じ始めていた。息苦しくもある。

「親子揃って疑われるとは心外だな」息子まで犯人にされて、ハーリンはさらに激しく髭を震わせた。「こうなったら黙っていることはない。ケネス、おまえも何かいいなさい」

父親にいわれてケネスは一同を見回した。そしておそるおそる口を開いた。「犯人はライルのおじさん……」

おお、とワイクは瞼を閉じた。ようやくこの名前が出た。正しい推理をするのが、十歳の坊やだとは。

ところがこの彼の思いは、次の瞬間には崩れさることになる。ケネスの言葉を聞いて、全員が笑いだしたのだ。

「ははは、いくら何でもそれはないよケネス」ハーリンがいう。

「そう。それは的外れもいいところよ」とビビアン。

「今度の事件でライルさんを犯人と考えるのは、一番馬鹿げたことだよ」モルティンだ。

「それじゃあまるで」メアリーが一際かん高い声でいうと、後を皆が合唱するように声を合わせて続けた。「あの魔王館の二の舞いじゃないか」

何だって、魔王館？

その瞬間、ワイクは目の前が真っ暗になり、意識がどこか遠くに吸いこまれていくのを感じた。


気がつくとワイクは自宅のベッドにいた。窓から差しこんでくる光が眩しい。顔をしかめながら、ワイクは上体を起こした。

どうしたのだろうと彼は頭を押さえた。咄嗟には何も思い出せない。しばらくそうしていて、ようやく天使館殺人事件のことを思い出した。ロックウェル邸の居間で、住人たちが勝手気ままに自分の推理をしゃべりだし、そのうちに意識が消えてしまったのだ。

あれからどうしたのだ？

彼が目頭を押さえた時、寝室のドアが開いた。入ってきたのはマーシュだった。マーシュは自分の主人が起き上がっているのを見て、一瞬驚いたようだ。だがやがてその愛敬のある顔に笑みを浮かべた。

「お気づきになられましたか。ああ、よかった。お医者さまも、大したことはないとおっしゃってましたからね」

「マーシュ、事件はどうなった」ワイクは勢いこんで尋ねた。「犯人は誰だったのだ」

だが老いた助手は顔を少し傾けた。「事件、と申されますと？」

「天使館殺人事件だよ。ロックウェル氏を殺したのは誰だったのだ？」

それでもマーシュは合点がいかぬというような顔のままで、ワイクにいった。「ロックウェル氏は生きておられますよ」

「生きている？」ワイクは叫んだ。「そんなはずはない。あの天使館の離れで、三重の密室に囲まれて死んでいたじゃないか」

するとマーシュは悲しげな表情で主人を見つめた。その目には憐れみの色が浮かんでいる。「ワイクさま、もう少し休まれた方が……」

「休む？　そんな必要はない。私は元気だ」だがワイクも助手の目を見ているうちに、徐々に不安になってきた。そこで彼は訊いた。「私は、いつ、どこで倒れたのだ？」

「ロックウェル邸に向かう途中です」マーシュはいった。「車が雪で滑り、木にぶつかったのでございます。その時ワイクさまは気を失ってしまわれました。それでロックウエル邸にはいかず、引き返してきたのです。それ以来ずっと眠っておられたのです」

「引き返してきた？」そんなはずはないとワイクは思った。ではあれは全部夢だったというのか。「じゃあロックウェル氏は、依然殺人者の影に怯えているというわけか」

「いえ、それがもう問題はなくなったのです。全部ロックウェル氏の思い過ごしだと判明したのです」

「思い過ごしだって？」

「はい。睡眠薬の中に交じっていた毒というのも、じつは毒ではなくビタミン剤だったのです。病院が間違えたようですな。それから馬の鞍にガラスの破片を入れたのは、近所の子供だということもわかりました。どちらの件についても、ロックウェル氏は大層怒っておられます」

「何だって……」ワイクは頭を抱えた。するとやはり夢を見ていたのか。たしかに夢と考えなければ納得できないことも数多くあったのだが……。

ベッドの脇に、本を置いてあるのが目に止まった。手に取ってみる。アンソニー・ワイクの手記、第五巻、魔王館殺人事件全記録と表紙にはある。彼はぱらぱらと頁をめくり、最後の謎解きのシーンを開いた。「犯人はあなたですよ、マダム・ロチェスター」とワイクがいうところだ。

彼は天使館殺人事件のことを考えていた。あの事件は何から何まで魔王館と同じだった。だから同じように推理を展開すればいい。そうするとジェームズ・ライルが犯人ということになるはずなのだが……。

「マーシュ」彼は本を開いたまま、遠くを見る目をして呟いた。「果たしてマダム・ロチェスターは犯人だったのだろうか」

3

さらに十年が経っていた。九十歳になったかつての名探偵アンソニー・ワイクは、病院のベッドにいた。心臓発作が起きて担ぎこまれたのだが、医者はすでに匙を投げていた。

ワイクは薄れる意識の中で、魔王館殺人事件のことを考えていた。果たして自分の推理はあれで正しかったのだろうか。あの密室には、本当に抜け道はなかったのだろうか。あの時の皆の証言の中に、勘違いなどというものはなかったのか。住人の中に催眠術を使えるような人間はいなかったか。エトセトラ。

彼は右腕を毛布から出し、宙を摑むような格好をした。「どうしたのですか」とマーシュが訊いた。

「答えを」ワイクはいった。「私に答えを教えてほしい」これが彼の最後の言葉だった。

名探偵アンソニー・ワイクここに眠る。

郊外の墓地に彼は埋められた。生涯独身、天涯孤独の身であった彼を、ヒュー・マーシュやヒギンズ元警部ら、関わりの深かった者たちが送った。

牧師の祈りが終わって墓から離れたところで、マーシュは一人の婦人に気づいた。喪服を着ている上に、十年間も会っていなかったのだが、マーシュはそれが誰であるかすぐに思いだした。二人はゆっくりと近づいた。

「お久しぶりです、マーシュさん」婦人がいった。

「ええ、全くですね。メアリー・ホークさん。いや、エミリー・グライムズさんというべきですかな」マーシュはいった。この婦人こそ、例の魔王館で殺されたグライムズ卿の娘だった。

二人はワイクの墓のところまでいった。そして墓標を見下ろした。

「ワイクさんは最後までお気づきにはならなかったのですか」

「ええ、多分」マーシュは答えた。「十年。私もよくシラをきり通しました」

「感謝いたします。グライムズ家を代表して」レディ・グライムズは頭を下げた。「ワイクさんの手記が世の中に出なかったおかげで、私たちも人並の生活を送れるようになりました。もう今は魔王館といっても知っている人は少ないでしょう」

「あなた方の計算通りでしたね。天使館殺人事件の夢を見てから——本当は夢ではなく芝居だったわけですが、あれ以来ワイクさまはすっかり御自分の推理に自信をなくされてしまいました。ですから手記を出す勇気がなくなったようです。間違っていたのではないかと不安でね」

「でもあれほどうまくいくとは思いませんでしたわ。私の夫が医学博士で、仮死状態を作る薬や全身を麻痺させる薬を使えたのが幸運でした」

「ワイクさまが倒れたタイミングなんか、絶妙でしたね」

「ええ。ですけど、やっぱりマーシュさんの御協力があったからこそ成功したのだと思いますわ」

「あなた方の意見に納得したからですよ」マーシュは顔をくしゃくしゃにした。「たしかに殺人事件は、探偵にとっては大きな獲物の一つですから、人に見せびらかしたい。またそれが探偵稼業を続ける上で、看板にもなります。しかし当事者の方にとっては、早く忘れたい悪夢でしかない。世間の人たちにも、早く忘れてもらいたい。それにプライバシーの問題もある。謎解きをするために、関係者が触れられたくない過去にまで言及しておりますからな」

「それだけに、ワイクさんが手記を出し始めたと知った時にはあわてましたわ。何とかしなければ、と。それでマーシュさんにお願いしたわけですけど、長年仕えてきた方を騙すのは辛かったでしょうね」

「まあ、少しは」マーシュはいった。「しかしね、最後の仕事をしたとも思っているんですよ。ワイクさまは引退されてからずっと、死ぬ前にもう一つ謎を解きたいとおっしゃってたのです。ですからこの十年は退屈されなかったでしょう。おまけに天国まで、その謎を持っていかれました」

そして彼は空を見上げ、耳に掌を当てた。

「ほらこうすると聞こえるようですよ。あの方が叫んでおられるのが」

――マーシュ、早くこっちに来てメモを取ってくれたまえ。

女も虎も

（※この作品は〝お題拝借ミステリショートショート競作〟において
太田忠司氏が出した題名「女も虎も」に基づいて書かれたものです）

真之介《しんのすけ》にとって、運命の日が訪れた。彼が牢屋で待っていると、番人が鍵をかちゃかちゃ鳴らしながら現れた。

「やあ、あんた、とうとう今日になっちゃったねえ」彼の声は弾んでいた。

「楽しそうだね」と真之介は応じた。

「そりゃあ楽しいさ。この日ばかりは、牢屋の番人をやっててよかったなあと思うね」

そういいながら彼は、牢屋の鍵を外し、扉を開けた。

真之介は重い腰を上げ、しぶしぶ牢屋を出た。

「そんな陰気な顔してないで、はりきっていこうや。みんなだって待ってるしさ」

「みんな?」

「ああ。あの広いスタジアムが、観客でいっぱいだ。みんな、刺激に飢えてるんだ」番人は目を輝かせた。「しかしあんた、えらいことをやっちゃったもんだねえ。よりによってさ、殿様のさ、妾に手をつけちゃいけないよ。それは無茶というもんだよ」

「知らなかったんです」泣き声になって真之介は弁解した。「知ってたら、僕だって手を出したりしません。だって彼女が独身だっていうから……」

番人はげらげら笑った。

「そりゃあ独身だよなあ。妾であって、本妻じゃないわけなんだから。その手で、何人も引っかかってるんだよなあ」

「えっ、何人も？」

「そうだよ。あの、お猟《りよう》という女は要注意なんだ。ちょっといい男を見つけると、色仕掛けでたぶらかして食っちまう。で、挙げ句の果てに殿様にばれて男は処刑の身さ。このあたりに住んでる者なら誰だって知っている」

「僕、最近よその町から来たばかりなんです」

「そうなんだろうな。全く、同情するよ」そういいながらも、番人は浮き浮きしていた。

『女か虎か、それとも……』というのが、今日の処刑方法の名称だった。これだけでは何のことかさっぱりわからなかったが、その内容を刑務官から教えられた時、真之介は震撼した。そしてそれ以来、夜もろくに眠れなくなってしまったのだ。

「昔、『女か虎か』という刑罰があった」刑務官は、もったいぶった口調でいった。「罪人は二つの扉の前に立たされ、どちらか一方を開けることを命じられる。一方の部屋には絶世の美女が、もう一方には人食い虎が入れられている。もし女が出てきたら、罪人はその女と結婚し、一生暮らさなければならない。虎が出てきたら……それはもう説明する必要はないな。つまり二分の一の確率に命を賭けるゲームになっていたわけだ。おまえが挑むのも、基本的にはこれと同じだ。違うのは、扉が三つあるという点だ」

「三つ？　女と虎と……もう一つは何ですか」

「それは、開けてからのお楽しみというものだ。しかし、あんたが無事に助かる確率が、三分の一に減ってしまったことだけは間違いないな」刑務官は薄笑いを浮かべていった。

　ということは、今回増やされたもう一つの扉の向こうにあるのは、真之介にとって幸運なものではないらしい。彼は暗い気持ちになった。

　番人の後に続いて薄暗い廊下を歩いていくと、前方が明るくなってきた。その先がスタジアムに繋がっているらしい。いよいよ運命の時が来たようだった。真之介は震え続けていた。歯が合わなくなってきた。

　その時だった。前から誰か歩いてきた。それは、お猟だった。派手な着物姿で、奇麗に結った髪は、ところどころ赤く染められていた。

「真之介さん」彼女は駆け寄り、真之介の手を握った。「ごめんなさいね、あたしのために、こんなことになっちゃってー」

「仕方ないよ。僕が悪いんだし」真之介はいったが、声にはさっぱり力が入らなかった。恨み言をいいたかったが、引っかかった自分が悪いことは事実だった。

「がんばってね、幸運を祈ってるわ」それだけいうと彼女は駆け足で去っていった。

真之介はお猟の後ろ姿を見送った。その彼の右手には、丸めた紙が握りしめられている。たった今、彼女が手を握るふりをして渡してくれたものだった。

「あの女、あんたに何か渡しただろう」番人が口元を歪めていった。

「いいえ」

「とぼけても無駄だよ。いつものことなんだ。大丈夫、誰にもいったりしないさ。黙っててやるからさ、ちょっと見せてみろよ」さあさあというように、番人は右手を出した。

真之介は仕方なく、紙を番人に渡した。番人はそれを見て、くすくす笑いながら頷いた。そして真之介に返した。「まあ、ちょっと読んでみろよ」

真之介は紙を見た。そこには、『三番の扉を選びなさい』と書いてあった。

「よかった、彼女が教えにきてくれたんだ。まだ僕を愛してくれているんだ」真之介はガッツポーズをした。

「さあて、それはどうかね」ところが番人は、いやな笑いを浮かべたままいった。「あの女が本当にあんたに惚れているのだとしたら、あんたがほかの女と結婚するなんてことは耐えられないんじゃないか。そんなことになるぐらいなら、虎に食われてしまったほうがいいと思ったりするんじゃないか」

「えっ……」真之介は身体中の血が引くのを感じた。「じゃあこれは、虎の扉？」

「もちろん、必ずそうだともいいきれない。やっぱりあんたの命を助けたくて、女が入っている扉を教えてくれたのかもしれない」

「今まではどうだったんですか。さっきのあなたの言い方からすると、彼女がこんなふうにメモを渡すのは、今日がはじめてではないんでしょう？」

「そうなんだが、たちが悪いことに、その時によって違うんだ。彼女のいうとおりにして助かった者もいれば、虎に食われた者もいる」

「そんな……じゃあ、このメモの意味がないじゃないですか。悩んじゃうだけだ」

「あの女も、おまえを悩ませたくて、こんなメモを渡したんだ。しかも今回はこれまでと違って扉が三つだから、全く読めないねえ」

「そんなあ……」

「さて、おしゃべりしている時間はもうないぜ。観客がお待ちかねだ」そういうと、これまでよりも強い力で真之介の背中を押した。

一分後、真之介はスタジアムの中央に立っていた。観客席は、ぎっしりと埋まっている。だが、彼にはその歓声よりも、彼自身の心臓の音のほうが大きく聞こえていた。

「さあ、いよいよ運命の時がやってまいりました。真之介君は、果たして何番の扉を選ぶのでしょう？　皆さん、ご静粛に。今は静かに、彼の選択を見守りましょう」

司会の台詞の後、太鼓が細かく連打された。目の前に並んだ三つの扉のうちの一つを選ばねばならない。真之介は周りを見回した。観客全員が彼を注視していた。

殿様は、貴賓席に座っていた。片手に扇子を持って、顔を扇いでいる。その周囲は若い女でいっぱいだ。隣の本妻と思われる女を除いては、全員が妾なのだろう。お猟の姿もその中にはあった。彼女は、先程メモをくれた時とは打って変わって笑い顔だった。

真之介は必死で考えた。扉は三つ。どれが女で、どれが虎で、そしてどれが中身が謎の扉なのか。

意を決して、というより、苦悩から逃れたいという本能で、彼は走りだした。彼が目指したのは、お猟に指示された三番の扉だった。どうせ騙されたのなら、最後まで騙されてやれと思ったのだ。彼は息を止め、一気に扉を開いた。

扉の向こうには女が立っていた。それを見て真之介は、その場にへたりこんだ。観客のどよめきが、スタジアム全体を揺すった。それには失望感も、かなり含まれているようだった。

　女が出てきて、彼の肩に手をかけた。

「あたしを選んでくれてありがとう。末永く、お世話になります」

　真之介は女を見上げた。女はやや小太りで、顔も丸かった。鼻が赤いのは風邪でもひいているせいか。どう見ても、絶世の美女とはいいがたかった。だが贅沢をいっている場合ではない。この女が幸運の女神であることは事実なのだ。

「こちらこそよろしく」と彼は答えた。

　その日のうちに真之介は解放された。そして女房となる女も部屋にやってきた。彼女は酒屋から、樽酒を運ばせた。

「じゃあ、あなたの無事を祝って乾杯」

　新しい女房がグラスを掲げたので、真之介もあわててグラスを手に持った。

　それから一ヵ月後。

　真之介が仕事から帰ると、玄関の戸を開けるなり茶碗が飛んできた。

「おいっ、このクソ亭主、酒がねえんだよ。酒、ちゃんと買っとけっていっといたろうが。何をぼやぼやしてやがるんだ」

　怒鳴っているのは、例の新しい女房だった。あの日以来、女は酒を飲み続け、酔い続けている。当然家事などは一切せず、家の中は荒れ放題、真之介が必死で稼いでくる金も、瞬く間に酒代に変わってしまうという有り様だった。だが、どんなにひどい女でも別れることはできない。それがあの処刑での取り決めだったからだ。

「こら、何をぐずぐずしてやがる。早く酒を買ってきやがれ、このグズが」

茶碗の破片を拾い集めながら、真之介はあの運命の日のことを思い出していた。そして、どうやら自分が開いたのは、『女』でも『虎』でもない、第三の扉だったらしいと思った。

第三の扉の中身――それはいうまでもなく、『女も虎も』だったのだ。

眠りたい死にたくない

頭が重くなってきた。立っているのが億劫だ。だけど耐えなきゃならない。横になりたいけど、それは無理だ。

全くひどいことになってしまった。何とかこの事態を切り抜けなければならないが、うまい手が思いつかない。困った困った。あと残されている時間はどれぐらいだろう。早く打開策を見つけなければ。

それにしてもなぜこんなことになってしまったのだろう。この局面になっても、まだよくわからない。なぜ僕がこんな目に遭わなければならないのだ。

そもそもは山崎ユカリさんとのデートだ。彼女と海のそばのレストランで食事をしたのが発端だ。あれはえーと、いつだったかな。昨日だったか、今日だったか。よくわからない。とにかく金曜日だ。会社が終わった後、彼女の自慢の黄色いポルシェでその店へ行ったのだ。信号で止まるたびに周りの視線が集まるのは気持ちがよかった。

たしかイタリア料理の店だったな。僕は初めてだが、ユカリさんがよく知っているということで、その店に行ったのだ。感じのいい店だった。パスタと伊勢えびと、えーとそれから何だっけ。よく思い出せないな。なんかサラダを食べた覚えがある。それからスープ。そんなところだった。

食べながらいろいろな話をしたな。まずは映画の話だ。僕は『アマデウス』とか『カストラート』が面白いっていったんだった。彼女は何といったっけ。映画はあまり観ないといったんだっけ。ビデオで『メジャーリーグ2』を観たとかいってたな。あんまり面白くなかったとか。その次はオペラの話をした。といっても、考えたら僕のほうが一方的にしゃべってただけという気もするな。彼女は何かしゃべったかな。ああそうだ。こういったんだ。あたし、オペラといえば『オペラ座の怪人』ぐらいしか知らないなって。違うよあれはミュージカルだよといって笑ったら、ああそうなのと彼女はいってた。

とにかく憧れの女性と二人だけで食事をするなんていう夢みたいなことが起きたわけだから、僕はすっかり有頂天だった。あれほどハイな気分になったのは、高校時代に卓球でベストエイトに残った時以来だな。

ところでユカリさんが、食事の途中で妙なものを取り出してきた。彼女の健康診断の結果をプリントアウトしたものだ。

「どうもこのあたりの数字がおかしいのよね」とかいって、何だかよくわからない数値の並んだ欄を示すのだ。

「そういうことはよくあることじゃないんですか」と僕はいった。彼女のほうが一年先輩だから、敬語を使わなきゃいけないのだ。

「そうかなあ」ユカリさんはずいぶん気にしている様子だった。どこか身体の調子でも悪いんだろうか。「何か変なのよね。気にしすぎなのかもしれないけど」

「そうですよ。取り越し苦労ですよ」と僕はいっておいた。

店を出たのは何時ぐらいだったかな。九時ぐらいだったかもしれないな。ええと、それからどうしたんだっけ。頭が痛い。うまく思い出せない。

あっ、そうだ。店を出る前、ユカリさんからこんなふうにいわれたんだった。

「ねえ筒井君。悪いけど、店を出たらタクシーで帰ってもらえないかしら。急用を思い出しちゃって」

僕はこれからまだあと一軒ぐらいどこかへ行って、その後ポルシェで自宅まで送っていってもらえると思ってたから、ちょっとショックだった。でも考えてみたら当然かもしれない。恋人ってわけでもないんだから。

「あ、いいですよ。もちろん」顔で笑ってこう答えた。

そのレストランでタクシーを呼んでもらえるということだったので、そのように頼んでから表へ出た。するとそのタクシーが来る前に、ユカリさんがいった。

「ねえ、やっぱりもう一軒どこかへ行こうか」

僕としては断る理由がなかった。僕はいいですよ、と浮き浮きして答えた。

「じゃあタクシーは断ってくる。まだ間に合うと思うから」そういってユカリさんはいったん店に入ると、すぐに出てきてオーケーサインを出した。「これで大丈夫。じゃあ駐車場に行きましょ」

「はい」と僕は元気よく返事した。

ええと。それからどうなったのかな。

ああ、だめだ。頭がぼんやりしてきた。身体がふらついてしまう。だめだ、だめだ、だめだ。足を踏ん張って。こらえるんだ。うー、気持ちが悪い。

大体ここはどこなんだろう。薄暗くてよく見えないけど、どうやら倉庫みたいだな。うーん、この臭いはどこかで嗅いだことがあるぞ。なんだっけ、この臭い。あまりいい臭いじゃないな。

思い出した。これは会社の印刷室だ。臭いはインクだとか関連薬品のものだ。写真の現像もできるから、現像液や定着液の臭いも混じってる。そうだ、印刷室だ。間違いない。

おかしいなあ。

なぜ僕はこんなところにいるんだろう。ユカリさんとレストランを出て、その後どうしたんだろう。何の用があって、こんなところへ来たんだろう。

「急いで。早く印刷室へ」

こんなふうにユカリさんがいってたのが、かすかに耳に残っている。どうして彼女は印刷室へ行けなどといったのだろう。また僕はどうして、何の疑問も持たずにここへ来てしまったのだろう。

ところで今気がついたのだけど、なんだか頬がひりひりする。まるで誰かにぶたれたみたいだ。誰にぶたれたのだろう。ユカリさんにだろうか。僕が彼女に何か変なことをしようとして、それでぶたれたのだろうか。まさか、いくら彼女が憧れの女性だといっても、初めてのデートの夜に僕がそんなことをするはずがない。第一、僕にはそんな度胸はない。そんな度胸があるぐらいなら、とうの昔に僕のほうからデートに誘っている。今度のデートだって、彼女のほうから誘ってきたのだ。

「筒井君、明日の夜空いてる？　空いてたら、食事に付き合ってほしいんだけど」前日の昼休みに僕が一人でいる時、こんなふうに話しかけてきたのだ。一瞬夢を見ているのかと思った。もちろん、すぐにオーケーした。

「でも、このことは誰にもいわないでね」彼女はそういってウインクした。はい、と僕は答えた。こんな素晴らしい秘密を共有できるなんて最高だと思った。

「筒井君、明日は何色のスーツを着てくるの？」彼女は上目遣いに僕を見て訊いた。

「えーと、まだわかんないな。どうしてですか？」

「だって、二人の服がミスマッチだと冴えないでしょ」

「あっそうか」僕はますます舞い上がった。

「じゃあダークグレーのスーツ」

「ダークグレーね。了解」彼女はまたウインクした。

スーツのことを考えていたら、また一つ頭に引っ掛かるものがあった。ダークグレーのスーツ。それを最近見たことがあるのだ。いや、僕のスーツじゃない。ほかの人がそれを着ているのを見たのだ。どこで見たのだろう。たしか、そのスーツの男とユカリさんが一緒にいた。二人並んで、こちらを見ていた。そうして出ていった。

出ていった？　どこから？

この部屋だ。ここから出ていったのだ。ついさっきだ。そうだ。スーツの男は、ついさっきまでここにいたのだ。で、そうすると、ユカリさんもここにいたことになる。

目が回る。頭が回る。身体が回る。回る。まわる。回る。

こらえろ。倒れるな。がんばれ。

レストランのところから、もう一度思い出してみよう。店を出て、ユカリさんの車に乗った。助手席に座って、それからどうしただろう。どこへ行きますか。そうだ。まず僕がそう尋ねたんだ。「どこへ行きますか」

「少しドライブしよう」彼女はそういって車を動かした。

それから港のそばで車を止め、彼女は自動販売機の缶ジュースを飲んだ。その前に彼女は僕が眩暈するようなことをいったのだ。

「たぶん飲みきれないから、半分飲んでね」

自分でもにやけた顔になっているのがわかったが、どうしようもなかった。

彼女の飲み残したジュースを、僕はたっぷり時間をかけて喉に流し込んだ。ありふれたアップルジュースが、とびきり甘美な飲み物に変わっていた。

それで――。

その後僕はどうなってしまったんだろう。何も覚えていない。それから後は靄の中だ。

まさか、眠ってしまったのか。

ああ、そうなのだ。僕はあの後眠ってしまったのだ。なんということだ。事もあろうにデートの最中に眠ってしまうとは。しかもユカリさんとのデートだというのに。だけど、いくら僕がのんびり屋だとはいえ、そんなに簡単に眠ってしまうなんてことがあるだろうか。まるで睡眠薬を飲んだみたいじゃないか。

睡眠薬？

まさか。だけど頭の隅に残っている言葉がある。あれは、そうだ。スーツの男がいったんだ。

「薬が効き過ぎてるのはよくないな。すぐには眠らないようにしておかないと」

思い出した。そういって男は僕の頬を叩いたのだ。頬を叩いて、僕のことを目覚めさせようとしたのだ。

頭がぐらぐらする上に、心臓がどきどきし始めた。

するとやっぱり僕はあの時、ユカリさんに睡眠薬を飲まされたのか。なぜ彼女はそんなことを？　僕に睡眠薬を飲ませて、何をするというのだ。

彼女は僕を眠らせて、ここへ連れてきたということか。そういうことになるんだろうなあ。でも非力な彼女に僕を車から運び出すことなんて、できるはずがない。で、そこにグレースーツの男が登場してくるわけか。彼女は、「急いで。早く印刷室へ」と男に指示を出したのか。

なんということだ。だとすると彼女は最初からそのつもりで僕をデートに誘ったことになるぞ。なんということだ。どういうことだよう。

ユカリさんは僕に恨みでもあるのか。そんな馬鹿な。恨みを持たれる覚えなんて全くない。それとも仕事中に、意味もなく微笑みかけたりしたのがいけなかったんだろうか。あれが気味悪かったのだろうか。でもその程度のことで、こんな目に遭わせるなんて。

ああ、くそう、悲しいなあ。もう終わりかなあ。今まで真面目に生きてきたのに。真面目なだけが取り柄で、それで経理部でも特に信頼されてたのに。くやしいなあ。僕の仕事の正確さが、来週の監査でまた証明されるはずだったのになあ。

ええと。

何か頭に閃いたぞ。来週は監査で、と。

えっ、まさかそれが関係あるのか。それで僕がこんなことになってしまったのか。監査なんか、どうってことないじゃないか。不正さえしてなきゃ、何も問題ない。だけど。

不正をしていれば、大問題ということではあるな。うっ、するとユカリさんが不正を？　つまり会社の金の使い込みをしているというのか。そんな、馬鹿な。

考えたくないことだけど、この際だから仕方がない。とりあえず彼女がそういうことをしていたとしよう。その場合、彼女に逃げ道はあるだろうか。

はっきりいって、ない。監査にかかれば一発でわかる。ごまかしようがない。

ただ、他人に罪をなすりつければ助かる。具体的には、僕に罪をなすりつけ、僕を自殺に見せ掛けて殺せばいいわけだ。

だが完璧に自殺に見せ掛けるなんてことができるんだろうか。僕がユカリさんと食事したことは、店の人間だって目撃している。僕の死体が見つかれば、真っ先に彼女が疑われる。

でももし彼女がこういったらどうだろう。

「たしかに一緒に食事しましたけど、その後別々に帰りました」

ここで思い出されるのはタクシーの一件だ。店を出て別れたことを印象づけるため、わざわざタクシーを呼んでもらえるようレストランに頼んだのではないか。

しかしそれをキャンセルしたことは、調べればすぐにわかるはずだ。

いや、違う。キャンセルはしていないのだ。あの後、きっとタクシーは来たのだ。だがその時すでに僕とユカリさんは、彼女の車の中にいた。

すると呼ばれたタクシーは、ずっと店の前で待っていたのか。いいや、それも違う。男が一人乗ってきたに違いない。その男は僕と同じ、ダークグレーのスーツを着ていた。

そしてたぶん僕のように、黒縁の眼鏡をかけていたことだろう。

男はタクシーの運転手にいう。「××町の○○工業（僕たちの会社だ）まで」

その後ユカリさんは僕を眠らせ、同じように会社に向かう。そうして、二人して僕をここまで運び、手のこんだ仕掛けを施したわけだ。

警察が調べれば、きっと僕はレストランの前からタクシーに乗って、会社に向かったということになってしまうだろう。運転手が、僕の顔を正確に覚えているとは思えない。覚えているのは、せいぜい服装と眼鏡ぐらいだ。

でも僕がレストランを出て、急に会社に行くというのは不自然じゃないか。そのあたりをユカリさんは、どんなふうに説明するつもりなんだろう。

店でのやりとりを僕は思い起こした。そして、はっとした。からくりに気がついた。

あの健康診断の結果をプリントアウトしたものがポイントだ。

レストランのボーイたちには、あの紙の内容はわからない。彼等は刑事たちの質問に対して、きっとこう答えるだろう。

「女性が男性にコンピュータの出力用紙のようなものを見せて、ここの数字がおかしいとか、どうも変だというようなことをおっしゃってました。それに対して男性は、よくあることだとか、気にしすぎだというようなことを答えておられました」

これを聞いて、健康診断の結果についての話だと考える刑事はいないだろう。ユカリさんもきっとこういうに違いない。最近の帳簿についての話をしていたんです、と。

経理上の不正をユカリさんに気づかれた僕はレストランを出て、急遽会社に忍び込む。だがもはや不正を修正する手立てはなく、絶望して自殺した――たぶんそういうシナリオに違いない。

ああ、なんということだろう。好きな女性に裏切られた上、殺され、しかも罪をきせられるなんて。

なんとかしなければ。どうにかしてこの窮地を脱しなければ。

だけどどうしようもない。

僕の口には猿ぐつわがかまされ、手足はガムテープで固定されている。その状態で、逆さにしたバケツの上に立っているのだ。そして僕の首にはロープが巻かれ、その端は天井に固定されている。

睡眠薬の影響で、まだ頭がぼうっとする。眠ってしまいたい。だけど眠ったら、首が絞まって死んでしまう。

ああきっと、今のうちにあの二人はアリバイを作っているんだろうなあ。僕ががんばればがんばるほど、彼等のアリバイは強固になっていくわけだなあ。そうして、僕が死んでから充分に時間が経った頃、もう一度やってきて、手足のテープを外していくつもりなのだろうなあ。

ああ、眠い。眠っちゃおうかなあ。ああ、だけどそれをしたら死んじゃうしなあ。死にたくないしなあ。

二十年目の約束

1

ただし子供は作らないつもりだけどね——。

プロポーズの言葉の後に、村上照彦《むらかみてるひこ》はこう付け加えた。まだ亜沙子《あさこ》が何とも返事をしないうちのことだった。

「子供は作らない。それは俺の人生の大前提なんだ。そのことを考えたうえで、俺との結婚を考えてほしい」車のハンドルに両手を置き、前を向いたままで彼はいった。ひどく雨の降る夜で、フロントガラスの先を見通せないほどだった。

村上照彦は、亜沙子の会社の先輩だった。二人とも営業部に所属している。年は照彦のほうが七歳上だ。亜沙子は会社に入って四年になる。

交際が始まったのは、去年の夏だ。同じテニスサークルに入っているのだが、照彦のほうから食事に誘ってきて、やがて二人だけで会うことが多くなった。

照彦は山梨県の出身で、大学に入った時に上京し、そのまま東京の会社に就職したということだった。父親は早くに亡くしていたが、母親は健在だ。名古屋に就職した十歳上の兄夫婦が母親の面倒を見ているので、照彦は身軽な次男坊というわけだった。

この人と結婚することになるのかな——漠然と考えながら亜沙子は彼との交際を続けてきた。女が二十四歳ともなれば、将来のことを意識しないわけにはいかなくなる。両親も、村上さんとのことはどうなっているのか、とことあるごとに尋ねてきた。彼のことはすでに両親に紹介済みだった。

だから亜沙子の二十五歳の誕生日を目前に控えたこの日、彼がプロポーズしてきたのは、じつにいいタイミングだったといえた。

でも、子供は作らないなんて——。

その理由を亜沙子は訊いてみた。すると昔から決めていることなのだと彼はいう。そしてこうもいった。子供なしでも幸せな家庭を作ってみせる、と。

「DINKSって言葉を知ってるだろ？　君だって仕事を続けたいんじゃないの？　結婚したら、必ず子供を作って妻は家庭に入るなんて、そんなの今時古いよ。二人で働いて、二人で稼いで、そうして豊かに人生を送ったらいいじゃないか。子育てに時間やお金を奪われるのは馬鹿馬鹿しいよ。せっかくこんなに楽しい世の中に生まれたんだからさ」用意してきた台詞だったのか、淀みなく彼は語った。

この日は即答を避け、亜沙子は三日ほど考えた。が、照彦の奇妙な宣言が、彼女の彼に対する好意を薄めることにはならなかった。彼女にしても、特別に子供が好きだというわけではなかった。それに仕事を続けたいという希望もある。子供がいなければ、二人で気軽に旅行することも可能だ。何より、子供なしでも幸せに暮らしている夫婦を、彼女は何組も知っていた。

次に会った時、亜沙子は彼の申し出を受けることを照彦に伝えた。それを聞くと彼は少しこわばり気味だった表情をほぐし、目尻に何本か皺を作って笑ってみせた。うまくやっていけるさ、と彼はいった。

それから約八か月後に、都内のホテルで豪華な結婚式をあげた。亜沙子は照彦と一緒に背丈よりも高いケーキにナイフを入れ、色直しを三回し、ほんの少し涙を流した後、約八十人の出席者から祝福を受けて新生活のスタートを切った。

2

結婚後二、三か月は、幸福な気分にひたったまま過ぎていった。次の人事異動までは職場が照彦と同じなので、まさに四六時中一緒にいるということになる。そのことを同僚の女子社員たちに冷やかされるのも悪くなかった。

二人にとっての変化は、結婚後半年目に訪れた。照彦に、カナダの支店出向の辞令が出されたのだ。彼がそれを受けると同時に、亜沙子は会社を辞める決心をした。

二人が日本を出たのは、八月の暑い日だった。赴任期間は五年、帰国のための長期休暇が与えられるのは三年後という話だった。

新たな生活の場として、彼らはトロントの郊外に家を借りた。建坪が七十坪ほどあり、庭を含めた面積は二百坪以上だった。それでも周辺には、その倍以上の広さを持った家が並んでいた。

最初は何をするにも緊張の連続だった。まずは言葉の問題だ。生活に必要なものを買い揃えるため街に出るのだが、カーテンの寸法を伝えるだけでも四苦八苦した。家の不備について電話で訴えようとしても、相手にはこちらの意思の半分も伝わらなかったりした。

生活の習慣や、リズムの違いといったものにも戸惑わされた。何かを注文しても、指定した日に届くことがまずない。それで相手が忘れてしまっているのかと思えばそうではなく、かなり日にちが経ってから届けられたりするのだ。遅れた理由というのが、じつにのんびりしたもので、担当者が休暇をとっていたとか、お祭りでしばらく店を休んでいたとかいうのだった。

「何が起こるか全然わからないよね。本当に別世界に来たんだなって気がする」ある夜、夕食を摂りながら、亜沙子は照彦にいった。

「そのうちに慣れるよ。最初は皆そうらしいから」

そういう彼のほうは、支店での自分の待遇があまりに良いので、かえって戸惑っているということだった。

「そんな日が来るのかな。何だか無我夢中のまま五年なんて過ぎちゃいそう」

彼女はしかめっ面をして見せたが、内心は全く正反対だった。毎日のように新たな刺激に遭遇できる状況を、大いに楽しんでいた。

しかしそんな刺激的な生活も、それほど長くは続かなかった。家の中が片付き、買い物にも慣れてくると、次第に新たな変化というものが少なくなってきた。とはいえ、全く未知の場所に出かけていくほどの勇気はない。

照彦の勤務時間は比較的一定していた。朝八時に出て、夕方六時過ぎに戻ってくるのだ。彼を送りだしたあと、部屋を掃除し、洗濯をして簡単な昼食を摂る。後片付けが終わると、テレビを見たり、日本から送られてくる雑誌に目を通したりする。訪ねてくる人間など全くいない。

こういうのを専業主婦っていうんだな――。

ぼんやりと黄昏時を過ごしながら亜沙子は思った。この生活が、あと五年ほど続く。人恋しさに、無性に悲しくなることが多くなった。周りに知っている人間など一人もいない。照彦が帰ってくるまで、一度も口を開かないという日が殆どだった。

せめて子供でもいれば――。

そう思うようになった。二人の間ではいわない約束だったが、日に日に思いは膨らんでくる。ついにある夕食時、口に出してしまった。

その瞬間、照彦の眉の端がぴくりと動いた。スープをすくっていたスプーンを置き、しばらく何事か考えていた。機嫌を悪くしたのかと亜沙子は不安になった。

「子供は、作らない」ゆっくりと区切って彼はいった。まるで自分自身にもいいきかせているように、亜沙子には聞こえた。「そのことは約束しただろう?」

「うん……」

やはり怒っているのかと、彼女は彼の顔を盗み見た。しかしそうではなかった。その証拠に、再びスプーンを手に取ると彼女に笑顔を向けながらいった。

「今度の休みにバンクーバーのほうに行ってみよう。あちこち旅行すれば、きっと気分も変わるよ」

それを聞いて彼女は喜んだ。カナダに来て初めての旅行だったのだ。

その後も照彦は、ちょうど彼女が寂しさを感じる頃になると、いろいろな所に連れて行ってくれるようになった。彼女が子供を欲しがるのを未然に防ごうとしているかのようだった。

だがその方法も、次第に効果が薄れていった。亜沙子は身体の不調を感じるようになった。食欲がなくなり、イライラすることが多くなった。耳なりがすることもある。頭が重いのに、夜になってもあまり眠れなかったりした。

「ストレスだよ」照彦はいった。「気分を変えるために出かけよう。どこがいい?」

亜沙子は首をふった。そんな気分にはなれなくなった。出かけたところで、そこに何かがあるわけでもない。

彼女が手首を切って自殺をはかったのは、彼らがカナダに来てからまる一年が経った頃のことだ。キッチンで倒れているのを照彦が発見した。

発作的なものだった。後から考えると、彼女自身この時のことが現実とは思えなかった。

幸い傷は浅く、命には別状はなかった。気絶したのは、流れ出た血を見たせいだった。

「休暇をもらったよ」ベッドで目覚めた彼女の脇に座り、照彦はいった。「特別に認めてもらったんだ。二週間の休暇だよ。日本に帰ろう」

3

一年ぶりに娘夫婦が帰国したということで、亜沙子の実家はにぎわっていた。千葉のほうに嫁いでいる亜沙子の姉も、夫と共にやってきた。

亜沙子は久しぶりに自分の気持ちが壮快なのに気づいていた。それは母親が作ってくれた手料理のせいだけではない。こうして誰かと話し合い、笑い合うことに、ずいぶん長い間飢えていたのだ。

だから、この休暇が終わるとまたカナダへ行かねばならないと思うと、帰国したばかりだというのに、早くも憂鬱になってしまうのだった。

「ところで子供はまだなのかい」

いつも以上に酒が進んだ父が、赤い顔を照彦に向けていった。亜沙子はつい俯いてしまう。彼に子供を作る意思がないことは、両親には内緒にしている。

ええ、そのうちに――この手の話題が出た時に、照彦が述べる台詞だ。相手が熱心に子供の必要性を説いても、あとはにこやかに笑っているだけなのだ。

ところがこの夜は少し違った。父の質問に対し、彼はこう答えたのだ。

「そうですね、そろそろ」

えっ、と亜沙子は彼の横顔を見た。

「うん。子供は早いうちに作っておいたほうがいい。君だって、三十を過ぎているのだし」

父は満足そうに笑い、照彦のグラスに勢いよくビールを注いだ。母や姉夫婦たちは、作るなら最初は女の子がいいとか、カナダで生まれたら国籍はどうするのかという話題に花を咲かせた。

ただ一人驚いていたのは亜沙子だった。照彦は、今までこういう話を極力避けるようにしてきたはずなのだ。それとも久しぶりに帰ってきたので、ほんのわずかの間だけでも両親たちを喜ばせようという配慮なのか。

「どうしたのよ、ぼんやりして」

姉にいわれ、亜沙子もあわてて話題に加わった。

「明日、山梨に行ってくる」

懐かしい気分で亜沙子が自分の部屋に布団を敷いている時、ふいに照彦がいった。枕を持ったまま、彼女は彼を見た。

「山梨？」

彼の故郷は山梨だが、生家はもうないはずだった。

「用があるんだ」照彦は彼女が学生時代に使っていた机の前に座り、錆びた鉛筆削り器を弄びながら答えた。

でも、と彼女はいった。「名古屋にも行かなきゃいけないでしょ。お義母さんや、お義兄さんたちにも御挨拶しなくちゃ」

「わかってる。名古屋にも行く。その前に山梨だ」

「一人で行くの？」

「うん」

「お友達に会いに？」

「まあ……そんなところかな。久しぶりに会おうってことになってさ」

「ふうん」

亜沙子はそれ以上訊かなかったが、変だなと思った。彼の友人にしても、殆ど東京に出てきている。

「古い町だからさ、たまには挨拶に行かないと薄情だと思われるんだ」そういって彼は咳をひとつした。

翌朝亜沙子が目をさましたのは九時を少し回った頃だ。隣を見ると、照彦の布団の中はすでに空っぽだった。パジャマのままで起きていくと、階段の下で彼は電話をかけていた。

「昨日帰ってきたんだよ。……うん、飛行機で十三時間だ。……彼女の実家にいる。日本はいいよ、やっぱり」

どうやら友達のところに電話しているらしい。

ところで、と彼の声が急に低くなった。

「子供のことで話があるんだ。……もちろん約束は守ってる。……うん、今日会いたい。詳しいことは会ってから話す。……店はまずくないか？　……四時に行けばいいんだな。……よし、わかった」

受話器を置き、照彦は階段を上がろうとした。だが、亜沙子がいることに気づいて足を止めた。

「おはよう」彼女はいった。「電話だったみたいね」

「うん」彼は頷いた。何か言い訳を考えている顔だ。

「山梨のお友達？」

少し間があって、「そうだよ」と彼は答えた。「幸一だよ、清水幸一。地元で喫茶店を開いている奴だ」

年賀状で見た覚えのある名前だった。幼馴染みということ以外、詳しいことは聞かされていない。無論顔を見たこともなかった。

「今日は清水さんに会いに行くの？」

「うん、奴にも会うつもりではいるんだけどね」歯切れの悪い答え方をした後、彼女の横を通り抜けて部屋に戻った。

十一時過ぎに照彦は家を出ていった。彼を見送ったあと、今頃山梨にどういう用があるのと母親が訊くので、男の人は一人で生まれ故郷に帰りたくなる時もあるみたい、とわかったような顔で説明した。

だが一人で部屋にいると、やはり気にかかってくる。照彦はなぜ急にひとりで故郷に帰ることにしたのか。

子供のことで話がある、と電話でいっていた。子供のこととは何だろう。

それに昨夜のこともある。

父たちにいったことが本気なのかどうか、照彦に尋ねられなかった。嘘だよ、と簡単に否定されてしまうのが怖いという気持ちもあったが、尋ねにくい雰囲気が昨夜の彼に漂っていたのはたしかだ。

そのことが今日の山梨行きに関係しているのだろうか。

三十分以上も迷った末、亜沙子は自分たちの荷物の中から住所録を取り出した。その中から清水幸一という名前を探しあてると、メモ用紙に住所と電話番号を書き写した。

「あら、あなたもどこかにお出かけ？」

亜沙子が階下に降りていくと、彼女の姿を見て母親がいった。外出着に着替えていたからだ。

「友達に会いに行ってくる。今度結婚するそうで、いろいろと相談に乗ってほしいんだって」亜沙子は答えた。

「そう。もし遅くなりそうなら駅から電話しなさいね。お父さんに迎えにいってもらうから」

母の声を半分だけ聞いて、亜沙子は家を飛び出した。時計を見ると、正午近くになっている。

たしか四時に行くといってた——。

今からなら間に合うかもしれない。亜沙子は駅に向かって早足になった。

4

照彦の故郷は、甲府からさらに三十分ほど電車を乗りついだところだ。亜沙子も結婚前に、一度だけ彼に連れられて来たことがあった。素朴で、風の音を聞きとれるほど静かな町だ。

清水幸一とは、照彦は小学校と中学校が同じだったらしい。同い年で家も近所だから、いつも一緒に遊んでいたということだった。

四時に店で、といっていたから、照彦は清水が経営する喫茶店で会う約束をしたのだろう。

一度訪れただけだが、照彦の生家があった場所には、殆ど迷わずに辿り着けた。そこには現在四階建てのマンションが建っている。

「下手に誰かに住まれるよりはさ、奇麗さっぱり壊された方がすっきりするんだよ。もうここに帰ってくることもないわけだしね」

前に彼女をここに連れてきた時、照彦はマンションを見上げてこういったものだ。でも帰ってきたじゃないの、と彼女は心の中で呟いた。生まれ育った家もないというのに、一体どういう用があるというのだろう。

　亜沙子はゆっくり歩きながら清水幸一の店の住所を確認した。この近くであることは間違いがない。店の名前は『ｎｅｋｏ』。可愛い名前だ。

　角を曲がった時、すぐそばの店のガラス扉が開いた。誰かが出てくる。それが照彦だと気づくまで、一、二秒かかった。彼女はあわてて引き返して隠れたが、幸い彼のほうは気づいていない様子だった。

　照彦の後からもう一人、同年代の男が現れた。黒いジャンパーを着ている。彼らが出てきたガラス扉には猫のイラストが入っていた。ジャンパーの男が清水幸一であり、ここが彼の店なのだろう。

　二人の男は、亜沙子が来た道とは反対の方向に歩き始めた。彼女は少し離れて歩きだした。二人は何か話をしているようだが、もちろんその声は彼女の耳には届いてこない。もし車を使うようだと困るところだったが、彼らにそのつもりはないようだった。山に向かって進み続けている。

　やがて小さな霊園の前で彼らの足は止まった。

　お墓参り？――亜沙子は首を傾げた。

　二人は中に入っていった。亜沙子も少し遅れて歩きだす。照彦が手に花を持っていることに、この時初めて気づいた。

彼らは手桶に水を汲むと、奥のほうに進んでいった。そしてある墓の前で立ち止まった。

亜沙子は、背丈よりも大きな墓石の陰から二人の様子を見つめた。

照彦が花を供え、清水が線香を立てている。水をかけたあと、二人並んで手を合わせた。

誰のお墓なのか。彼らを眺めながら亜沙子は考えた。村上家の墓は、照彦の兄が名古屋で家を買った時、あちらのほうに移したはずなのだ。

では清水家の墓なのか。しかしなぜ照彦が墓参りをする必要があるのだろう。

二人は墓の前で、数分ほど話していた。やはり声は聞こえない。だが照彦の顔は亜沙子の位置からよく見えた。眉間に深く皺を刻み、しきりに顎をこすっている。何か悩み事がある時など、彼が見せる癖のひとつだった。

彼らが墓の前を離れたので、亜沙子も隠れる位置を変えた。このままもう少し二人の後をつけるつもりだ。

照彦たちが手桶を返して霊園を出ていく。それを確かめてから彼女も歩きだした。が、その時、突然目の前に見知らぬ女が現れた。大柄で、ふくよかな顔だちをした女だった。亜沙子は最初、自分とは関係のない人間だと思ったが、女の目を見て足を止めた。女のほうは、彼女の顔をじっと見つめていたのだ。

「村上さん……でしょ？」女は訊いてきた。「村上さんの奥さん……そうよね」

「あなたは？」

亜沙子が訊くと、女のほうはにっこりと頰を緩めた。

「清水の妻です。クミコといいます」

「ああ……」亜沙子は頷いた。「どうしてここに？」

「それは、あなたと同じ理由だと思うけど」

「あたしと？」

顔を傾けながら、亜沙子は霊園の出口のほうに目を向けた。あまりぐずぐずしていると、二人を見失ってしまう。

「あの人たちのことなら、もう後をつける必要はないから」クミコはいった。「飲みに行くといってた。飲み屋までついていっても仕方がないでしょ」

亜沙子はしげしげと相手の顔を見た。

「あの、あたし、何が何だかさっぱりわからないんですけど」

クミコは頷いた。

「あたしも同じ。でもあなたよりは少し知ってるかな。ねえ、これからうちの店に来ない？　少し話したいことがあるの。どうせあの人たちは、夜まで帰ってこないはずだから」

ええ是非、と亜沙子は答えた。

喫茶『ｎｅｋｏ』は、無駄な装飾を一切省いた、じつにシンプルな店だった。カウンターがあって、テーブルが三つ並んでいる。亜沙子たちが入っていった時、一番手前のテーブル席に四人の客が座っているだけだった。カウンターの中では、二十歳前後と思える男がコーヒーを入れている。自分の甥だとクミコはいった。彼女はその甥には亜沙子のことを学生時代の後輩だと紹介した。

一番奥のテーブルについたが、話を始める前にクミコは、温かいココアを御馳走してくれた。墓地で冷やされた身体が、芯から暖められるようだった。

「どうしてあたしの顔を御存じだったんですか？」

掌でカップを覆うようにしながら亜沙子は訊いた。

「結婚の挨拶状が届いてたから。そこに写真がついてたでしょ。あたしはこう見えても、人の顔を覚えるのが得意なのよね。それにあの二人の後をつけるとすれば、あたし以外には村上さんの奥さんしかいないわけだし」

「あたし以外にはって、じゃあクミコさんも？」

クミコはココアを手に頷いた。

「やっぱり亜沙子さんも、旦那さんの行動を変だと思ったみたいね」

「クミコさんもそうなんですか」

「まあ、そういうこと」クミコはカップを置き、やや改まった顔を作った。「あのお墓は、ニシノという家のものよ」

「ニシノさん……」

聞いたことのない名字だった。

クミコはカウンターからメモ用紙とボールペンを取ってきて、西野晴美、と書いた。

「こういう名前の女の子のお墓参りをしているんだと思う。御主人から聞いたことは……なさそうね」

亜沙子は首を振った。「初めて聞く名前です。女の子なんですか」

「女の子といっても、生きていればあなたよりも上でしょうけどね。亡くなったのは、今から二十年前。その晴美ちゃんは、当時八歳だった」

ということは、照彦が十三歳の時だ。

「あの、その晴美さんと主人とはどういう関係があるんですか」

亜沙子は訊いたが、クミコは首を振った。

「近所に住んでいたようだから、やっぱり幼馴染みということなんでしょうね。でもそれ以外の繋がりはわからない」

「そうですか……で、その女の子は、なぜ亡くなったんですか？」

亜沙子が訊くと、クミコの顔はにわかに曇った。呼吸を整えるように胸を上下させると、今まで以上に声をひそめていった。

「このあたりでは、未だに覚えている人がいるぐらいの大きな事件なんだけど、西野晴美ちゃんは殺されたの。さっきの墓地の裏にある山道で、通り魔に襲われたのよ」

5

犯人は三十五歳の男だった。職業は自称画家だが、実際には映画館の看板などを描く仕事をしていて、同業者からは腕のいい職人という見られ方をしていた。

無口で付き合いは悪いが、真面目な男だというのが関係者たちの台詞だった。独身ではあったが、特に女性に強い関心を持っていたようにも見えなかったという。

雨が降っていたからだ、と男は取調べに当たった刑事に述べている。蒸し暑い上に雨が降っていたから、何となくむしゃくしゃして墓地のほうに出かけたのです――。

なぜ墓地なのか、という刑事の質問に対して、最初彼は満足に答えられなかった。だがその後の調べで、若い女性と話をするためであったらしいことが判明した。男によると、以前何かの用で墓地に行った時、墓参りをしていた若い女性に話しかけられたというのだ。「夕暮れ時の墓地って、怖いですね」――その女性は、彼にこういって話しかけてきたらしい。それで彼も何か答え、数分ほどそこで話をした。

墓地に行けば、また若い女性と会えるのではないか――三十過ぎの男が考えることとも思えないが、それで彼は墓地に出かけていったのだ。もちろん夕方のことだ。

その日はたしかに雨が降っていた。午前中は晴れていたが、午後になって雲行きが怪しくなり、日が沈む頃になって激しく降りだしたのだ。

男は黒いコウモリ傘をさし、一人墓地に行った。

しかし墓地には彼が求める、若い女性はいなかった。若い女性どころか、墓参りをしている者など一人もいなかった。

ここで男があっさり家に帰れば問題はなかった。だが彼はそうはしなかった。むしゃくしゃした気分を晴らす対象がどこかにないものかと、墓地の回りをいつまでもうろうろしていた。

西野晴美に気づいたのは、彼が墓地の裏にある山道に回った時だった。その道の途中で、晴美は赤い傘をさして立っていた。

フランス人形を人なつっこくしたような顔だち――当時の某新聞が晴美について表現した文句だ。実際新聞に掲載された写真を見て、多くの人が、「こんなお人形さんみたいに可愛い子が、あんなひどい目にあうなんて」と嘆いた。

男は、自分は幼女趣味ではないと警察では述べた。ただあんまり可愛かったので、少し話をしたかっただけなのだ、と。ところがあの子は自分を見て露骨に嫌そうな顔をし、さらに彼を侮辱するような言葉を吐いた。それで思わずカッとなって殺したのです――。

だが刑事は、男の供述を鵜呑みにはしなかった。西野晴美の死体が墓地の裏山の林で見つかったのは犯行の翌日だが、その時服はすべて脱がされていた。スカート、シャツ、下着、靴などは、死体から十メートルほど離れた木の陰に隠してあったのだ。さらにスカートと下着には、ごく少量だが精液が付着していた。もっとも死体のほうは扼殺の痕があるだけで、暴行を加えた形跡はなかった。

乱暴する目的で西野晴美を林の中に連れ込み、抵抗したので扼殺した。その後服を脱がせているうちに性欲が昂まってきて、その場で自慰にふけった――どうやらこれが真相のようだった。

犯人が簡単に捕まったのは、警察の熱心な捜査のたまものだった。残酷な犯罪ということで、山梨県警は相当な数の捜査員を投入して聞き込みを行ったのだ。その結果、目撃情報などからすぐに容疑者が浮かびあがり、現場に残されていた精液と血液型が一致していたことなどから逮捕となった。犯人が完全自供したのは、逮捕後三日目の夜だった。

以上が、クミコがしてくれた話だった。

彼女もこの町の生まれなので、よく知っていても不思議はないわけだが、事件が起きた時にはまだ小学生だったはずだ。そう考えると詳しすぎるような気がする。

「もちろん詳しいことは、最近になってから図書館で調べたのよ。新聞の縮刷版というのがあるでしょ。あれよ」クミコは軽く笑いながら答えた。

「最近になってからというと？」

「だからあの人と結婚してから。だったらもう最近でもないか。もう三年も前だから。あの人がこっそりと墓参りなんかしているものだから、一体誰のお墓なんだろうと思って調べる気になったの。それにあの人、あたしでもよくわからないことがいっぱいあるし、そのへんのこともはっきりさせておきたかったのよね」

「よくわからないことって？」

「いろいろ。で、どうやら村上さんとも、何か関連があるみたいだなってことはわかってたの。だから今日主人たちが出かけていった時、こっそり後をつけてみようって気になったわけ。そう考えたのは、どうやらあたしだけじゃなかったみたいだけど」そういってクミコは悪戯っぽく亜沙子を見た。

「あの、変なことを訊くようですけど……」

亜沙子は清水が、子供を作らないと宣言しているのではないかと尋ねてみた。するとクミコは大きく頷いた。

「そうそう、そのとおり。それが結婚の条件。だから今でも二人っきりよ。とはいえ、その点については、それほどまだ不満でもないのよね。あたしもまだ遊びたいし」

「その点についてはって……ほかに何かあるんですか」亜沙子は訊いた。

言葉を選ぼうとしているのか、クミコは慎重な顔つきになった。

「結局は子供嫌いってことなのかもしれないけど、小さい子供を見ると、ひどくいらいらしたりすることがあるの。不機嫌になって、八つ当たりしたりね。あたしの姉なんかが子供を連れてきたりしたら、あんまり無愛想なんで困っちゃう」

「へえ……」

照彦はそんなことはないなと亜沙子は思った。だがそれは周りにそういう子供がいないせいかもしれない。

「それから村上さんはないかしら、夜中にうなされるっていうこと」

「うなされる……いいえ」亜沙子は首を振った。

クミコは頰づえをつき、「うちの場合はあるのよね、時々」と呟いた。「でもそれは最近のことじゃないみたい。あの人のお母さんに訊いてみたら、昔からそういうことがあったって。少し神経質なところがあるから、そのせいかとも思うんだけど」

「二十年前の事件と、何か関係があるんじゃないかと考えておられるんですね」

「そうじゃないかと思うのよ」

「御主人にお尋ねになったことはないんですね」

「それがないの。何となく訊くのが怖くて」クミコは少し疲れたような笑みを浮かべ、ため息をついた。「それに、あの人のほうから打ち明けてくれるのを待ちたいっていう気もあるのよね」

亜沙子も同感だった。照彦の秘密めいた行動に、寂しさを感じているのは事実だ。

「その亡くなった女の子、西野晴美ちゃんの家は、まだこの近くにあるんですか」

「今はもうないのよ。じつは去年探してみたの。そうしたら、ずいぶん前に隣町に引っ越してた。事件のことを思いだして辛いからという理由だったみたい」

ちょっと待ってて、といってクミコは奥へ入ると、五分ほどして戻ってきた。黒い手帳を手にしている。

「手紙を出そうかと思って、その時に住所を調べておいたの。今もまだここに住んでおられるかどうかはわからないけど」

亜沙子はメモとボールペンを借りて、その住所を控えた。といっても、何らかの目的があるわけでもなかった。

「どういう秘密があるのかしらないけれど、打ち明けてくれればいいのにね。そのための夫婦なんだから」そういってクミコは、ふっと吐息をついた。

6

この夜亜沙子は、結局甲府のホテルに泊まることにした。実家に電話をし、友人との話が弾んで遅くなったので泊めてもらうことにしたといった。

ホテルのベッドに横になると、昼間のことを思いだした。二十年前の事件と、照彦たちとはいったいどういう関係があるのだろう。

もしかすると、その女の子の死があまりにもショックだったので、子供なんて欲しくないと思うようになったのか。しかしそれならばはっきりいえばいいではないか。事情を話してくれれば、話し合う余地もある。

亜沙子はホテルの近くで買った道路地図帳を取り出した。クミコから教えられた住所を調べてみる。レンタカーを使えば、ここからは一時間足らずで行けそうだ。

二十年前に何があったの？――墓地で見た、夫の苦しげな顔を思いだしながら彼女は呟いた。

翌朝になっても亜沙子の決心は変わらなかった。ホテルで朝食をすませると、近くのレンタカー会社を訪れた。なるべく小さい車をという要望を出し、一〇〇〇ccのツー・ボックス車を借りた。カナダでも運転をすることはあるが、向こうは左ハンドルの右側通行なので、久しぶりに日本で乗るとなると大きな車は怖いのだ。

少し走っては道路脇に止め、地図を見直してはまた発進させる。そんなことを繰り返しているうちに左側通行にも慣れてきた。

途中何度か迷ったが、比較的スムーズに目的の土地に到着した。車を止められそうな空き地を見つけると、そこに車を置いて後は歩くことにした。

派出所で訊くと、西野家はすぐにわかった。引っ越してはいなかった。

だがこの時の巡査の対応が、少し気にかかった。

「これから西野さんのところに行くんですか？」太った中年の巡査は、亜沙子の全身を舐めまわすように見てから訊いた。

「そうですけど、何か？」

「いや別に何でもないんですけど……西野さんの御親戚ですか」

「いえ違いますけど」

ふうん、といって巡査はもう一度、彼女の上から下までをじろじろと見つめた。

嫌な感じだな、と思いながら彼女は派出所を出た。

巡査に教わったとおりに行くと、西野家はすぐに見つかった。畑に面して並んで立っている、数軒の古い木造家屋のひとつだった。生け垣があって、その向こうに庭が見える。

庭を通ると、ごめんくださいと玄関の前から声をかけた。だが反応はない。もう一度声をかけた時、背後で人の気配がした。振り返ると、子供連れの婦人が胡散臭そうな顔で家の前を通りすぎるところだった。婦人はまるで関わりあいになるのを恐れるように、子供の手をとって足早に去っていった。

亜沙子はもう一度声をかけてみた。やはり返事はない。電話番号を調べておけばよかったなと思った。

諦めて立ち去りかけた時、左側で物音がした。そちらには庭があり、縁側があるようだ。亜沙子はちょっと顔を傾けるようにして、覗き込んでみた。

誰もいない、と思ったがそうではなかった。奥の障子が少し開いて、人が顔を出していた。亜沙子はどきりとした。

よく見るとそれは年老いた婦人だった。年齢は七十歳を越えているように亜沙子には見えた。もし話に聞いた西野晴美の母親なら、少し老けすぎていると思った。

「西野さんでしょうか」亜沙子は二歩三歩と近づいてみた。

障子がさらに開き、老婆は寝間着姿で現れた。背が低く、枯れ木のように痩せている。どこか身体の具合が悪いのだろうか。障子の向こうに布団を敷いてあるのが見えた。

「あの……西野さんではないのですか？」

亜沙子はもう一度尋ねてみた。しかし老婆は返事をしない。黙って亜沙子の顔を見つめたまま縁側に出てくると、何かいいたそうに口を動かした。

「えっ？　何ですか」

彼女が問うと、老婆は裸足のまま庭に下りた。そして頼りない足取りで亜沙子のほうに近づくと、彼女の手をしっかりと握りしめた。亜沙子が驚いて老婆を見ると、その目には涙があふれそうになっている。

また老婆は、相変わらずしきりに口を動かしていた。最初亜沙子はその声を聞きとれなかったが、次第にわかってきた。老婆は、「おかえり、おかえり」といっているのだ。

やはりこの老婆は西野晴美の母親に違いないと亜沙子は思った。彼女はどういうわけか、亜沙子を自分の娘だと思いこんでいるらしい。

「あの、西野さん、あたしは違うんです。あなたの娘さんじゃないんです」

亜沙子はいったが、老婆はその声など耳に届いていない様子だった。彼女の腕を取り、家の中に連れて入ろうとする。その間彼女の目からは涙がこぼれ続けている。

亜沙子が彼女の手を外そうとすると、老婆は今度は彼女の身体にしがみついてきた。そして、「晴美、晴美」といって泣き叫び始めた。

亜沙子は困惑した。力まかせに振り離すわけにもいかない。

その時、一人の男が庭に入ってきた。六十過ぎに見えるが、がっしりした体格の男だった。彼は老婆の肩を優しく叩いた。「晴美に線香をあげる時間だよ。忘れちゃいけないだろ」心に響くような声だった。

するとそれまで泣いていた老婆が、ぴたりと静かになり、亜沙子の身体を離した。そして男の顔を見ると、「線香、線香。お線香をあげないと」と繰り返した。

「そうだよ。さあ、早く。晴美が待ってるよ」

男がいうと、まるで機械仕掛けの人形のように老婆は回れ右をした。そして裸足のまま庭を歩くと、縁側に上がって障子の向こうに消えた。

彼女を見送ったあと、男は亜沙子のほうを見た。

「驚いたでしょう。どうもすみませんでした。私がちょっと買い物に出ていたものですからね」

丸く、温厚そうな顔をした男だった。不精髭が口の周りを覆っている。

亜沙子は息を整え、口を開いた。

「いえ、あたしが電話もせずにお訪ねしたのがよくなかったんです」

「失礼ですが、あなたは？」

亜沙子は少し姿勢を正した。

「あたし、村上亜沙子といいます。村上照彦という者の妻なんですけど、主人のこと、御存じでしょうか？」

男の表情に明らかな変化が現れた。まるで大きな声をあげる前のように、目と口を開いた。そして大声を出す代わりに、深く頷いた。

「照彦君の奥さんか。覚えていますよ、もちろん。で、彼は今どこに？」

「それが、一緒ではないんです。あたしがここに来たことも、主人は知らないんです」

亜沙子の言葉に男は一瞬戸惑ったようだ。だがすぐに合点したように首を二、三度縦に動かした。

「とにかく中に入ってください。何か複雑な話がありそうだから」そういって玄関を掌で示した。

7

男は西野行雄と名乗った。そしてあの老婆は西野すみ子。行雄の妻であり、晴美の母親だという。

「老けて見えるでしょう。あれでもまだ六十代前半なんです。更年期を過ぎてから、急におかしくなりましてね。人間の身体というのは、不思議なものです」西野は茶を入れながら学者のように冷静な口調でいった。

「やっぱり娘さんのことが、今も忘れられないようですね」

亜沙子がいうと、行雄は辛そうに顔をしかめた。

「もう二十年になるんですがね。事件のことは、照彦君から？」

「いえ、こちらへ来て、ある人から伺ったんです」

「そうですか」彼は頷いた。「我々夫婦は長年子供ができませんでね、ようやくできたのは、すみ子が三十五の時です。もう殆ど諦めていたものですから、二人で神様に感謝しました。特にすみ子のかわいがりようは尋常ではなくてね。この子のためなら死んでもいいなどと、よくいってました」

その晴美があういう残忍な殺され方をしたわけだ。そのショックがどれほどのものか、訊くまでもないことだった。

「すみ子は、事件後二、三年は、娘が死んだことが信じられない様子でした。いや、もちろん頭ではわかっているのですが、心が受け入れてないっていうのかな。毎年誕生日になると女の子用の服を買ってきたりしていたんです。それも年々大きくなることを計算に入れて、それ相応のものを買ってくるんです。そうすることで少しは気が済むならとほうっておいたのですが、やっぱりあんなことは早く辞めさせるべきだった。現在妻があんなふうになってしまったのも、その頃にはっきりと心の整理をつけさせなかったからだと思っています。今ではうちに来る若い女性が、誰もかれも娘に見えるらしい」

なるほどそれで、と亜沙子は派出所の巡査の視線を思いだした。あの巡査は、すみ子がそういう状態だということを知っていたのだろう。

「今は御主人が奥さんのお世話を?」

亜沙子が訊くと、行雄は苦笑いを浮かべた。

「会社勤めをしていた頃は、家事なんてやったことがなかったんですがね、今では一通りこなせるようになりました。まあ長年世話になったのだから、恩返しのつもりでやっています」行雄は湯のみ茶碗を取ったが、それを口に運ぶ前に亜沙子を見た。「こちらの話ばかりして、あなたの用件をお聞きするのが後回しになってしまいましたね。照彦君がどうかしたのですか」

亜沙子も湯のみ茶碗に手を伸ばしかけていたが、それを戻して俯いた。「じつは……」

今までのことを隠さずに話した。子供を作らないという約束、カナダでの彼女の自殺未遂、そして帰国後の照彦の不可解な行動。西野行雄はひどく辛そうな顔つきで、彼女の話に耳を傾けていた。

「つまり、照彦君の行動の秘密は、例の二十年前の事件に関係しているのではないかと考えて、ここへ来られたというわけですね」

亜沙子の話が終わると、確認するように行雄はいった。彼女は頷いた。

「なるほど」

行雄は腕組みをすると、ちょっと顔を上に向けて瞼を閉じた。まるで遠い過去に思いをはせているように見えた。

「照彦君と幸一君か」彼は呟いた。「いい子たちでしたよ。近所に同年代の小さな女の子がいなかったのでね、あの二人がよく晴美の遊び相手になってくれていました」

閉じた瞼の間に、涙が滲みかけているのを亜沙子は見た。その瞬間、彼が十歳以上も年老いたように感じられた。

「ああ、そうだ。あれを見せてあげよう」

彼は目を開けて立ち上がると、そばの茶箪笥の引き出しを開いた。彼が取り出したのは、数十枚の葉書だった。すべて照彦からのものだ。消印を見てみると、十数年前から最近まで続いている。約半分は年賀状と暑中見舞いだった。

一番最近のものを見てみると、カナダから出されている。亜沙子は全然知らなかった。

『お元気ですか。こちらでの生活にもずいぶん慣れました。仕事は日本にいた頃よりはきつくないです。ところでおじさんたちのほうはいかがですか。おばさんの具合が早くよくなることを祈っています。先日妻とバンクーバーに行ってきました。この葉書はその時に買ったものです――』

彼が絵葉書を買っていたことを亜沙子は思いだした。ふだんはそういうものを買ったりしないので、不思議だったのだ。

「いい子たちです」西野行雄は目を細めていった。「あれからずっと私たちのことを案じてくれている。私たちには子供はいないが、有り難いことだと思っています」

「主人たちは、一体何を隠しているんでしょうか？」

亜沙子の問いかけに西野は黙り込んだ。何かを迷うように何度も瞬きした。

その時電話の鳴る音がした。失礼、といって西野は立っていった。

彼を待つ間、亜沙子は照彦からの葉書に目を走らせた。四角ばった、独特の筆跡だ。どの文面もそれほど長くはないが、必ずすみ子のことを案じる一文が入っていた。

西野が戻ってきた。気のせいか、表情が先程よりも和んだように感じられる。

「面白いものだねえ」彼はいった。「噂をすれば、だよ。照彦君からだ。今からここに来たいのだがということだった」

「主人が？」

亜沙子は腰を浮かしかけたが、それを西野が笑顔で制した。

「あなたが逃げ隠れする必要はない。それに彼はここには来ない。甲府駅の近くにある喫茶店で会うことにしたからね。幸一君も一緒だということだが、今日のところは照彦君だけにしてくれといっておいた」

亜沙子は彼の顔を見返した。意図がよくわからなかったからだ。

「その喫茶店には、あなたが行きなさい」西野はいった。「彼は驚くだろう。そこでどんなふうに説明をするか、それはあなたの自由だ。ただし、もうここに来てはいけない。あなたは彼と一緒に東京に帰りなさい」

「でも――」

「東京に帰ったら」彼は封筒を取り出した。「これを照彦君に渡しなさい。本当はカナダに行くまで我慢してほしいのだが、何もわけがわからんままでは、彼も承知しないだろうし、あなたも気分が悪いだろう」

「これを見ればすべてがわかるんですか」亜沙子は尋ねた。

わかる、と彼はいった。「何もかもうまくいくはずだよ」

8

西野行雄に指示された店は、亜沙子が車を借りたレンタカー会社から歩いてすぐのところにあった。車を返した後、その店に入っていった。

照彦は、一番奥のテーブルでコーヒーを飲んでいた。たった一日会わなかっただけだが、ずいぶん長い間彼の顔を見ていないような気がした。

照彦の目は入り口に向けられている。彼女が近づいていっても気づかないのは、彼の待つ相手が西野行雄だからだろう。

亜沙子は真っすぐ彼のところに歩いていき、テーブルの前に立った。彼女を見上げた瞬間、照彦は無表情になった。事態を把握できない様子だった。それからゆっくりと驚きの色を浮かべていった。

「亜沙子……」

「ここに座ってもいい？」向かい側の椅子を引き、彼女はいった。

西野行雄から預かった封筒のことだけは隠して、あとはありのままを照彦に話した。尾行したことや、彼の過去を探るようなことをしたこともだ。不機嫌になるかと思ったが、彼はそれほど不愉快そうではなかった。しかし少し落ち込んでいる様子ではある。

「あなたを苦しめているものが何なのか、まだあたしに話してはくれないのね」

「近いうちに話すよ。必ず話す。隠していること自体、最初からよくなかったのだと思う」

このまま東京に帰るようにという西野の言葉を伝えると、彼は不思議そうな目をした。

「じゃあおじさんは、俺とは会わないつもりなのか」

「そういうことだと思う」

するど彼の目が不安そうに揺れた。西野行雄に会ってもらえないという事実が、彼をひどく落胆させたようだった。

「なぜだろう？　君はその理由を聞いていないのか」

「聞いてない。でも、何もかもうまくいくからって」

照彦は首を傾げた。彼にも西野の真意はわからない様子だ。

喫茶店を出る前に、彼は電話をかけにいった。西野にかけたのかとも思ったがそうではなかった。

「清水に連絡してきた。これから帰るってね。おじさんに会う意思がないのであれば仕方がない。また日を改めるさ」

「日を改めるって……日本にいる間に？」

亜沙子がいうと彼は返答に窮したように下唇を嚙んだ。そして小さく頷くと、「そうだね、日本にいる間に必ず」と呟いた。

中央本線の上り特急列車に乗り、二人並んで座った。こういう時、照彦は必ず亜沙子を窓側に座らせる。通路側に座った彼は、じっと瞼を閉じていた。

彼女は窓の外を見ていた。彼の故郷が遠ざかっていく。二十年前に、彼がこの土地で何か大きな落とし物をしたことだけは確かだった。

二人が殆ど言葉を交わさぬまま、列車は東京に向かっていた。もう間もなく大月だ。

「君は」照彦が話しかけてきた。「俺と結婚しないほうがよかったのかもしれないな」

亜沙子は驚いて彼の顔を見た。

「どうしてそんなことをいうの」

「そういう気がするからだ。考えてみれば、子供を作らないことを前提にプロポーズしたこと自体、どこか間違っていたんだ。カナダで君をあれほど苦しめたのも、俺が夫として失格だからだ」

「西野さんは、何もかもうまくいくって……」

だが彼は首を振った。

「今の我々がどういう状態なのか、おじさんにはわかっていない」

亜沙子は例の封筒を取り出した。

「これをあなたにって。本当は東京に着いてから渡すようにいわれたんだけど」

「俺に？」

照彦は封筒を受けとると、すぐにそれを開いた。中から出てきたのは、一枚の紙だった。古く、黄ばんでいるのが亜沙子にもわかる。

「これは……」

紙を持つ彼の手が小刻みに震えるのがわかった。照彦は顔を擦り、何度も首を振った。

「そうか……そうだったのか」

「ねえ、どうしたの？」

亜沙子が訊くと、彼はひどく充血した目を向けてきた。

「とんでもない間違いをしていた。俺たちは、二十年間も馬鹿な間違いをしていた」

「あなた……」

彼は立ち上がると、網棚から荷物を下ろした。そして彼女にいった。

「次の駅で降りよう。そして甲府に戻るんだ。何が何でもおじさんたちに会わなきゃならない」

9

甲府駅に着くと清水夫妻が待っていた。大月で、照彦が電話をかけたからだった。会ってまず、亜沙子は清水幸一と初対面の挨拶をした。クミコからすでに話を聞いていたらしく、彼女がここにいることを特に不思議がってはいなかった。

「本当なのか、さっきの話」幸一は照彦にいった。

本当だ、と照彦は答えた。そして封筒を見せた。

中の紙を見た時の幸一の反応は、つい先程の照彦と同じだった。電話で聞いて予備知識があるはずなのに、しばらくは口をきけないでいた。といっても、亜沙子はまだその紙に何が書いてあるのかを知らない。後で説明するから、といわれただけだ。

四人は駅前でタクシーを拾い、西野家に向かった。助手席に座った照彦が運転手に道順を教える以外は、誰も口を開こうとはしなかった。

西野家に着いたのは、そろそろ夕暮れが迫り始めている頃だった。照彦が玄関の戸を開けて呼びかけた。

奥から現れた西野行雄は、彼らを見ると少し驚いたようだった。だが間もなくその顔に温厚な笑みを浮かべると、「これはこれは、全員お揃いじゃないか」と、おどけた口調でいった。

「ごめんなさい」亜沙子は謝った。「東京に着く前に、あの封筒を見せてしまったんです」

西野は笑顔のままで頷いた。「別に謝る必要はないさ」

「おじさん」照彦が一歩前に出ていった。「謝らなければならないのは俺たちです。いや、謝ってどうなるものでもないんだけど……」

「まあ、とにかく」相手の心を鎮めるように掌を広げ、西野はいった。「とにかく上がったらどうだ。久しぶりなんだから」


仏壇に飾られた写真の中の西野晴美は、クミコから聞いた話のとおり、まるで人形のような顔だちをしていた。何か悪戯でもしている時に写したのだろうか、笑顔の中に、少し照れたような表情が混じっていた。

四人は順番に線香をあげていった。仏壇の傍らでは、すみ子がちょこんと座って、彼らが手を合わせる姿を見つめている。

最後に仏壇から離れた照彦は、正座のまま西野夫妻に深々と頭を下げた。

「胸のつかえは取れたかね」彼と幸一の顔を交互に見ながら西野は訊いた。

照彦は何か答えようとしたようだが、いうべき言葉が見つからなかったらしい。代わりに亜沙子のほうを向いて、「告白しなければならないことがある」といった。「西野晴美ちゃんは、俺たちが殺したようなものなんだ」

亜沙子は思わず息を止めた。隣のクミコも、えっ、と漏らした。

「照彦君、それは違うよ」

「いえ、とりあえずいわせてください」照彦は強い口調でいうと、唇を舐めた。「二十年前のあの日、頭のおかしい男に晴美ちゃんは殺された。その男がどういう理由で墓地に行き、どんなふうにして晴美ちゃんを殺すことになったのかは、警察の力でほぼ明らかになった。でもじつは、最後までわからなかったことがある。それは、なぜあの日晴美ちゃんがあんな場所にいたのかということだった」

亜沙子は息を呑んだ。たしかにそうだ。その点についてはクミコからも説明を聞いていない。

「もちろんこのことについて、警察が全く調べなかったわけじゃない。犯人の供述の裏づけをとるためにも、晴美ちゃんの行動を明らかにする必要はあった。だけど最後まで、あの子があんな場所にいた理由は不明だった」

「そのことに……あなたたちが関係しているの？」クミコが自分の夫のほうを見ていった。

幸一は小さく頷くと、「そうだ」と答えた。

「あの日俺たちは、山に蝶を取りにいくはずだった。俺と幸一、それから晴美ちゃんも一緒に行くという約束になっていた。三時に墓地の裏に集合——そういう約束を、前の日にしたんだ」照彦はネクタイを緩めた。しきりに舌で唇を濡らした。「ところが雨が降った」苦渋の色を浮かべて続けた。「雲行きから見て、雨がひどくなるのは明らかだった。俺と幸一は学校で空を見上げながらいった。今日は中止だなって。だけどその場に晴美ちゃんはいなかった。俺と幸一はどちらも、相手が彼女に連絡するだろうとタカをくってしまったんだ」

「それで晴美ちゃんは待ちぼうけを？」

亜沙子の言葉に照彦は頷いた。

「約束の三時から、あの子はずっと待ってたんだ。四時になっても、五時になっても。そうしてそこにあの男がやってきた……」

「俺たちが殺したんだ」幸一が呻くようにいった。

「いや、あの場合悪いのはやはり親だよ」西野が重々しく口を開いた。「付近が暗くなるまで、晴美がいないことに気づかなかった。というより、どうせまた誰かに遊んでもらっているんだろうと、それこそこっちはこっちでタカをくってたんだ。そうして騒ぎだした時にはすでに殺されていた。すみ子がひどいショックを受けたのは、そういう自分のミスを自覚しているからだ。君たち以上に、晴美を殺したのは自分だと、すみ子は思っているんだよ」

「でも俺たちは嘘をついたんです」幸一はいった。「おばさんが晴美ちゃんを知らないかと聞きに来た時、知らないといったんです。大騒ぎになっているみたいで、晴美ちゃんをすっぽかしたことを口に出せなかったんです。もしあの時すぐに話していたら、あの子は殺されなかったかもしれないのに……。俺は卑怯者です」

「事件が解決したあとも、俺と幸一の心は晴れなかった。当たり前だよ。あんなことをしておいて、いい気分でいられるはずがない。そのあとも俺たちは、おじさんやおばさんに対して申し訳ないという気持ちでいっぱいだった。それなら何もかも白状すればいいんだけど、それをする勇気もなかった」

「子供を作らないというのは、その償いのため？」亜沙子が訊いた。

「そんなことが償いにならないことはわかっている」照彦はいった。「だけど何か自分たちに罰を与えないではいられなかった。俺たちはおじさんたちから子供を奪った。だから自分たちに子供を持つ資格はない。それが幸一と二人で決めたことだった」

「でもあたしがああいう形で自殺をはかったので、その約束を取り消すために今回ここに帰ってきたの？」

「俺と結婚したという理由で、君を不幸にはしたくなかった。だから子供を作るかわりに、もっと別の罰を考えようと思ったんだ。でも幸一と話し合っているうちに、自分たちのやってきたことの馬鹿さ加減がわかってきた。俺たちはただ自分の気持ちを楽にするために、罰則ごっこをしていただけなんだ。そんなことをする前に、やはりすべてを告白して、おじさんたちに謝るしかないと思った」

「しかしその必要もなかったというわけだ」西野はいった。「なぜなら、あの日晴美が君たちと遊ぶ約束していたのだということは、後になってから判明していたからね。しかし私たちは決して君たちを恨んだりはしていない。本当だよ。子供の頃にはいろいろなことを経験する。皆と約束したのに、その場所に現れたのは自分だけだったというような経験は、誰にでもあるものだ。そうやって子供は学び、成長していく」

「おじさん……」

「君たちが、不必要な気遣いをしていると知って、その誤解を解いておかねばならないと思った。だからあれを亜沙子さんに預けたんだ」

「ええ……驚きました」照彦は封筒を取り出すと、その中の紙を広げて置いた。

「晴美はおマセさんでねえ、あの頃から、もう日記をつけ始めていたんだよ」西野はいった。「これは事件の前日にあの子が書いたものだ。犯人が捕まってしばらくしてから見つけたんだけど、今さら公表することもないと思って、ずっとしまっておいたんだ」

「これを亜沙子から見せられて、おじさんが俺たちの失敗のことを、ずっと昔から御存じだったとわかったんです」

西野はうんうんと何度も頷いた。

亜沙子はその紙を手にとってみた。それは小学校低学年用の、原稿用紙のようなものだった。そこに大きな字で次のように書いてある。

『あしたは てるちゃんと こうちゃんとちょう を とりにいく ３じ』

西野は仏壇を見た。

「二十年目にして、ようやく約束の相手が来てくれたよ。よかったな、晴美」

するとそれまでじっとしていたすみ子も、「晴美ちゃん、よかったねえ」と、にっこり笑って写真の中の少女にいった。

あとがき

この拙文は後書きというより、「言い訳」です。

今回ここに収められた作品は、過去に何らかの形で発表されながら、これまでどの短編集にも収録されなかったものばかりです。なぜそうなったのかについては、それぞれ別の理由があります。しかしいずれもあまり威張れる理由ではありません。つまり早い話が、どれもこれも「わけあり物件」なのです。そんなものを商品にするかぎりは、その「わけ」というのを説明しておく必要があるでしょう。

「シャレードがいっぱい」

バブル景気真っ只中の頃に書いたものです。作品にはその気配がぷんぷん漂っています。掲載誌を出版していた会社がつぶれたため、宙ぶらりんになってしまい、そのままどこにも収録されず、二十年が経ちました。今読んでみると、もはや時代小説です。これはこれで、もしかしたら面白いかもしれないと思い、今回収録することにしました。

本のタイトルを『あの頃の誰か』としたのは、この作品がきっかけになっています。

「レイコと玲子」

この作品も『シャレードがいっぱい』と同じ小説誌に掲載されました。だから今まで埋もれていた事情も同様なのですが、私自身が内容に不満を感じていたというのもあります。今回、最もたくさん手直ししたのが、この作品でした。

「再生魔術の女」

読み返してみて、なぜ今までどの短編集にも入れなかったのか、自分でも不思議に思いました。なかなか気に入っている作品です。調べてみると、この作品の初出は、「問題小説94年3月号」となっています。私がシリーズものでない短編集を最後に出したのは、九十四年二月刊行の『怪しい人びと』なので、そこで間に合わなかったため、今回まで収録のチャンスがなかったのだと思われます。

「さよなら『お父さん』」

これを収録するかどうかは非常に迷いました。この短編は、私の長編作品『秘密』の原型です。作品として不満だったから、長編として書き直したのです。そんなものを商品として出していいものだろうかと悩みました。しかし担当編集者の、「これはこれで別物として面白い」という意見と、ダニエル・キースが『アルジャーノンに花束を』の短編バージョンを短編集に収録していることに力を得て、思いきって載せることにしました。

「名探偵退場」

昔、雨の会という若手作家グループがありました。井沢元彦さんや大沢在昌さんがリーダー格で、デビューしたばかりの宮部みゆきさんも入っておられました。みんなで書き下ろしのアンソロジーを作ろうよということになり、『ミステリーが好き』と『やっぱりミステリーが好き』の二冊を刊行しました。本作は、『やっぱり――』に収録されたものです。当時、劇団四季の公演をよく見に行っていて、『スルース』という推理劇に触発されて書きました。主人公の名前は、そこからパクっています。この作品をきっかけに名探偵ものに対するツッコミを書きたくなり、そうして生まれたのが天下一シリーズ、つまり『名探偵の掟』です。余談ですが、拙著『新参者』の中に、役者の青年が芝居をするシーンが出てきますが、演じているのは本作の冒頭部分です。

「女も虎も」

ある作家が適当に思いついた文章や言葉をタイトルにして、ほかの作家が小説を書くという企画がありました。出版社もいろいろとやらせるものです。今なら絶対に引き受けなかったでしょう。私に回ってきたのは、太田忠司さんが出した「女も虎も」というタイトルでした。わりとうまくいったと思うのですが、「虎」に別の意味があることを知らないとオチがわからないかもしれません。

「眠りたい死にたくない」

これを書いた時のことはよく覚えています。別の短編を編集部に送ってあったのですが、どうしても気に入らなくて、締切まであと数時間という段階になり、急遽お願いして全く違う作品を新たに書かせてもらったのです。朝まで徹夜したわけですが、眠るわけにはいかない、というのはまさにその時の私の心境でした。『女も虎も』と同様、ショートミステリなので、これまで収録のチャンスがありませんでした。

「二十年目の約束」

ある意味、この作品が最大の「わけあり物件」でしょう。書き上げた時から自分でも気に入らなくて、読み返すことのなかった作品です。短編集に収録しなかったのも、駄作だから、という理由からでした。しかし担当編集者が、「そんなに悪い出来とは思えない」としつこくいうので、今回渋々読み返してみました。すると、たしかにそう悪くはありません。なぜあんなに気に入らなかったのかと考え、どうやら設計図通りに話を運べなかったからだろうと思い至りました。当時の私は、ミステリとはそうやって書くものだと思い込んでいたのです。ところでそれとは別に、どうにもタイトルがいただけません。出来が不満だったので、適当に付けたのでしょう。ひねりも何もありません。
読者の皆さんには失礼だと思いつつ、自戒を込めて、そのままのタイトルにしました。

初出一覧

シャレードがいっぱい（コットン'90年11月号）
レイコと玲子（コットン'91年6月号）
再生魔術の女（問題小説'94年3月号）
さよなら『お父さん』（小説宝石'94年7月号）
名探偵退場（『やっぱりミステリーが好き』新潮社'90年6月刊）
女も虎も（IN★POCKET'97年7月号）
眠りたい死にたくない（小説新潮'95年10月号）
二十年目の約束（別冊小説宝石'89年12月号）

光文社文庫

あの頃《ころ》の誰《だれ》か

著者　東《ひがし》野《の》圭《けい》吾《ご》

2011年1月20日　初版1刷発行
2012年4月10日　9刷発行

発行者　駒井稔
印刷　萩原印刷
製本　ナショナル製本

発行所　株式会社　光文社
〒112-8011　東京都文京区音羽1-16-6
電話　(03)5395-8149　編集部
8113　書籍販売部
8125　業務部

ISBN978-4-334-74897-5　Printed in Japan

組版　萩原印刷

お願い　光文社文庫をお読みになって、いかがでございましたか。「読後の感想」を編集部あてに、ぜひお送りください。

このほか光文社文庫では、どんな本をお読みになりましたか。これから、どういう本をご希望ですか。

どの本も、誤植がないようつとめていますが、もしお気づきの点がございましたら、お教えください。ご職業、ご年齢などもお書きそえいただければ幸いです。当社の規定により本来の目的以外に使用せず、大切に扱わせていただきます。

光文社文庫編集部